LE SANG DU

© 2015 Éditions NATHAN, SEJER, 25, avenue Pierre-de-Coubertin, 75013 Paris
Loi n° 49-956 du 16 juillet 1949 sur les publications destinées à la jeunesse,
modifiée par la loi n° 2011-525 du 17 mai 2011.
ISBN : 978-2-09-255665-8
Dépôt légal : février 2015

LE SANG DU SERPENT À PLUMES
Journal de la conquête du Mexique

Laurence Schaack

Après la colonisation de l'île de Cuba, une expédition espagnole composée de onze navires, cinq cents soldats, quatorze canons et seize chevaux se lance à la conquête du Mexique le 10 février 1519. Le capitaine de cette armée, Hernán Cortés, a pour mission d'explorer les terres à l'ouest des Antilles. Le 27 février 1519, les Espagnols débarquent sur une île au large de la côte maya du Mexique actuel. Hernán Cortés y apprend l'existence d'un puissant empire situé au centre du pays : l'Empire mexica. Les Espagnols poursuivent alors leur route, longent la côte du Yucatán et, après de brefs combats, conquièrent la ville maya de Tabasco. Les vaincus leur offrent des vivres, des cadeaux et une vingtaine de femmes esclaves. Parmi elles, une jeune fille de dix-sept ans, d'origine mexica, nommée Malinalli...

Première partie

_____

LE MONDE INCONNU

Vera Cruz, le 11 août 1519

« À partir de maintenant, Marina, tu sais lire et écrire. Cela fait de toi une personne importante. » C'est ce que m'a dit Bernal ce matin. Puis il m'a offert du papier, une plume et de l'encre. Il va aussi me fabriquer une écritoire en bois pour que je puisse ranger mon matériel et écrire plus facilement.

J'ai serré le papier, l'encre et la plume contre mon cœur en pleurant de joie et de confusion. Jamais je n'aurais imaginé que je posséderais un jour des choses si étranges et si précieuses. Jamais je n'aurais pensé que je pourrais devenir quelqu'un d'important, une chrétienne qui sait lire et écrire. Il y a à peine cinq mois, avant que les Espagnols ne me baptisent « Marina », je m'appelais « Malinalli », et j'étais une esclave ignorante, originaire d'une lointaine petite ville de l'Empire mexica. Je n'ai jamais connu mon père et je me souviens à peine du visage de ma mère, qui m'a vendue à des marchands d'esclaves mayas alors que j'avais dix ans.

Lorsque les bateaux espagnols sont arrivés sur le fleuve et qu'ils ont gagné la bataille contre les gens de Tabasco, mon maître maya m'a offerte aux chrétiens. Je l'ai supplié à genoux de me garder avec lui tellement les étrangers me terrifiaient. J'avais très peur de monter sur leurs énormes bateaux, peur de leurs chevaux, peur de leurs canons et de leurs armures. Comme je le remercie aujourd'hui, ce maître cruel et sévère, qui n'a pas eu pitié de moi ! Je ne serais pas devenue chrétienne, et Bernal ne m'aurait pas offert ce journal où je vais raconter les choses merveilleuses que je suis en train de vivre.

Bernal est un soldat espagnol. Ce n'est pas un noble, mais il sait lire et écrire. C'est lui qui m'a appris l'espagnol. Je crois bien que c'est le seul ami que j'aie jamais eu. Il me répète que je suis intelligente, et que, même si je suis une fille et une esclave, je suis douée pour les langues et qu'il n'a jamais vu quelqu'un apprendre aussi vite à tracer les lettres de l'alphabet. Que Dieu bénisse Bernal Díaz de Castillo, car personne avant lui ne m'avait jamais dit que j'étais intelligente ou importante.

Le capitaine Cortés aussi est bon avec moi, surtout depuis qu'il sait que je parle nahuatl[1]. Au début, pendant que nous naviguions le long de la côte, mon travail se limitait à préparer la nourriture aux soldats, à laver leur linge et à soigner ceux qui avaient la fièvre. Puis nous avons jeté l'ancre, au nord, et les Espagnols ont fondé une ville qu'ils ont nommée Vera Cruz. L'empereur des Mexicas, qui sait tout ce qui se passe dans son royaume même s'il habite à des jours et des jours de marche de la côte où nous nous trouvons, a envoyé des ambassadeurs à la rencontre des étrangers.

Pour impressionner les représentants de l'empereur des Mexicas, le capitaine a ordonné à son armée de faire retentir les cors, les trompettes et les canons, et les chevaux sont partis dans un formidable galop sur la plage, tandis que les drapeaux claquaient au vent. Les ambassadeurs, qui n'avaient jamais vu d'armures en fer, ni de canons, ni de chevaux, ont poussé des cris de frayeur et j'ai ri de voir que, tout riches et puissants qu'ils soient, ils étaient terrifiés par le bruit des trompettes et les énormes

---

1. Nahuatl : langue des Mexicas aussi appelés Aztèques.

naseaux des chevaux, tout comme moi la première fois que j'ai vu l'armée chrétienne.

Quand il a fallu échanger les cadeaux et les salutations, Cortés a fait appeler Aguilar, un soldat espagnol qui s'est échoué sur les côtes du Yucatán il y a deux ans et qui a vécu chez les Mayas. Mais Aguilar ne comprenait rien à ce que disaient les ambassadeurs : Aguilar connaît le maya, la langue qu'on parle sur la côte, pas le nahuatl, la langue qu'on parle dans les hautes terres, là où je suis née, là où se trouve Mexico-Tenochtitlán, la capitale de l'Empire. Moi, j'ai compris ce que disaient les ambassadeurs : ils voulaient savoir qui était le chef de l'expédition. À ce moment, sans réfléchir, j'ai pris la parole. Oui, moi, Malinalli, la petite esclave qui n'a même pas le droit de regarder dans les yeux les nobles représentants de l'empereur, j'ai dit « c'est lui » et j'ai montré le capitaine. Il m'a appelée et il m'a souri. Il avait compris qu'il avait à la fois besoin d'Aguilar et de moi : Aguilar pour traduire de l'espagnol au maya et moi pour traduire du maya au nahuatl.

Jusqu'à ce moment, je pensais que c'était un signe de mon malheur si je parlais plusieurs langues, le malheur d'une misérable enfant mexica vendue par sa mère. Mais maintenant, je sais qu'il s'agit de la plus grande chance de ma vie. Et je me souviendrai jusqu'à mon dernier souffle de ce jour de Pâques, il y a quatre mois, quand le capitaine Cortés m'a regardée comme quelqu'un de précieux.

Bernal a été chargé de m'apprendre l'espagnol, et il est si gentil, si patient que je fais de mon mieux pour le contenter. Il me raconte aussi à quoi ressemble l'Espagne, comment les gens y vivent et il me parle de son Dieu, qui est d'après lui l'Unique, le Vrai, le Dieu d'amour et de lumière. Je l'écoute avec beaucoup de plaisir, et lui pose tant de questions qu'à la fin il est fatigué de me répondre. Parfois, Bernal s'enflamme et traite nos dieux de « démons ». Alors, je prends peur. Que m'arrivera-t-il si j'arrête de prier les dieux que j'ai toujours priés ?

Vera Cruz, le 12 août 1519

Cet après-midi, j'ai assisté à un entretien entre des caciques[1] et les Espagnols. Le capitaine posait

_____

1. Cacique : chef de village mexica.

beaucoup de questions sur l'empereur de Mexico-Tenochtitlán. D'abord, c'était Aguilar qui traduisait, mais il ne comprenait pas tout et mélangeait les noms des personnes et des villes. Finalement, le capitaine m'a demandé de lui répéter mot pour mot ce qu'avaient dit les caciques. Et voilà ce que j'ai dit : « Moctezuma commande à plusieurs rois et à de nombreux seigneurs, il est le plus grand souverain de l'Univers. Son armée est innombrable et ses guerriers sont féroces. Une foule de nobles et d'esclaves le servent, pieds nus et les yeux baissés, dans son palais de Mexico-Tenochtitlán, qui est la plus grande, la plus belle ville du monde, le cœur du Monde Unique, visitée chaque jour par des princes venus des quatre directions. Moctezuma sacrifie aux dieux plus de vingt mille personnes par an et il n'est pas de seigneur qui ne lui paye un impôt ni de pauvre qui ne lui offre quelque chose, jusqu'à son sang. »

Après l'entretien, le capitaine m'a demandé de rester. C'était la première fois que j'étais seule avec lui et j'étais très impressionnée. Il me fait peur avec sa barbe noire et ses yeux perçants. Il a au-dessus de la lèvre une cicatrice qui lui donne l'air cruel quand il est en colère.

– Je veux rencontrer Moctezuma. J'ai besoin de

tout savoir sur lui. Que penses-tu de ce qu'ils ont dit ?

J'avais tellement peur que je n'arrivais pas à parler. Alors, le capitaine a ajouté d'un ton très doux :

– Sois sans crainte, Marina. Dis-moi juste ce que tu penses.

– Je crois qu'ils disent la vérité.

– Mais ce sont des petits chefs de villages ignorants… Crois-tu que l'empereur soit aussi puissant qu'ils le prétendent ?

– Oui, mon seigneur, je crois qu'ils disent la vérité, car partout où je suis allée j'ai entendu la même chose : Moctezuma est le plus puissant souverain de l'Univers. Même les Mayas lui sont soumis.

– Crois-tu qu'ils aient vraiment peur de lui ? Qu'ils le haïssent ?

– Oui, mon seigneur, je crois qu'ils le haïssent autant qu'ils ont peur de lui.

– Et que crois-tu encore, Marina ?

J'ai réfléchi et je me suis rappelé la lueur d'effroi qui brille dans les yeux des caciques quand ils voient les armures et les chevaux.

– Je crois qu'ils ont encore plus peur de toi que de lui, capitaine.

Il a souri et j'ai souri avec lui.

– Que pensent-ils de nous ?

– Ils disent que vous êtes des demi-dieux, des envoyés des dieux. Que vous êtes invincibles et que vous êtes venus renverser le joug des Mexicas.

– Je crois que tu vois juste, Marina. Et que mon ami Bernal a raison. Tu parles bien et tu comprends vite.

Il m'a renvoyée en me demandant de choisir une servante. Il va recevoir de nouveaux ambassadeurs dans les prochains jours, alors je vais être très occupée à traduire les entretiens et je vais avoir besoin d'aide pour préparer mes repas et entretenir mon linge.

Choisir une servante ? Je n'ai jamais donné d'ordre à personne de toute ma vie et je ne sais pas comment on fait…

Vera Cruz, le 13 août 1519

Parmi les femmes qui accompagnent l'armée, il y a quelques Espagnoles mariées à des soldats, des esclaves des îles chaudes et d'autres esclaves comme je l'étais qui viennent de la côte maya. Mais quelques-unes sont des nobles, des filles de caciques, données par leurs pères en signe d'alliance. Ces caciques viennent de très loin pour rencontrer les chrétiens et faire preuve d'allégeance. Leurs filles sont accueillies avec honneur, elles sont baptisées avant d'être données en mariage à des lieutenants. Il y a parmi elles une princesse olmèque qui me fait une peine immense. Pendant son enfance, on lui a écrasé les côtés du visage entre deux planches pour allonger son crâne et on lui a limé les dents de devant, comme on le fait à tous les enfants nobles olmèques. Elle a donc un long visage qui part en avant et des dents pointues, ce qui est une grande distinction dans son pays. Mais les Espagnols la trouvent repoussante, et personne ne veut d'elle, ni comme épouse ni comme servante. Elle ne peut pas rentrer chez elle, ce serait une humiliation terrible pour elle et sa famille. Elle est donc obligée de suivre l'armée, en se nourrissant de ce qu'elle peut, en mendiant un coin près du feu pour dormir, puisque aucun soldat ne l'entretient en échange de ses services. Pourtant, elle est timide et douce, et elle chante toute la journée.

C'est elle que j'ai choisie comme servante.

Les Espagnols l'ont surnommée « Oveja ». Bernal m'a expliqué que « Oveja » n'est pas un nom de personne. Cela veut dire « brebis » et il s'agit d'un animal d'Espagne qui a un museau long et étroit.

Que la vie est devenue étrange depuis que les chrétiens sont arrivés ! On dirait qu'ils ont renversé l'ordre du monde. Voilà que moi, l'ancienne esclave, je possède une servante qui fut une princesse et qui porte à présent un nom d'animal…

Vera Cruz, le 14 août 1519

Hier, des caciques sont venus de Cempoal, une ville voisine, et se sont entretenus avec le capitaine Cortés et ses officiers. Aguilar et moi avons traduit l'entretien, qui s'est prolongé jusqu'à la nuit. Le capitaine veut savoir qui sont les amis de l'empereur Moctezuma et qui sont ses ennemis, combien il possède de provinces et de vassaux. Il est très inquiet de découvrir le plus sûr chemin pour arriver à Mexico-Tenochtitlán.

Les caciques lui ont expliqué qu'il y avait deux routes : soit l'armée espagnole passe par une ville qui s'appelle Cholula, soit par une autre nommée Tlaxcala. Par Cholula, le chemin est plus facile, mais la ville est soumise à Moctezuma, et les Espagnols tomberaient forcément dans un piège. La route qui arrive à Tlaxcala est plus dure, car elle traverse la haute montagne, mais les Tlaxcaltèques détestent les Mexicas, qui leur font régulièrement la guerre et ravagent leur pays. Ils pourraient devenir les alliés des Espagnols.

C'était très compliqué, et Aguilar a mal traduit. Il mélangeait les noms des villes et des provinces, il confondait les noms des caciques amis et ennemis, et, encore une fois, je n'ai pas pu m'empêcher de rectifier en espagnol. Aguilar s'est vexé. Il m'a traitée de pauvre esclave ignorante et s'est moqué de moi parce que je suis incapable de prononcer le *r* espagnol, et que même mon nom je n'arrive pas à le dire autrement que « Malina ». Le capitaine lui a fait un geste bref pour lui commander de se taire et il l'a traité d'ivrogne et de joueur de cartes. Aguilar est parti en me jetant un regard mauvais. Je crois que j'ai gagné un ennemi aujourd'hui...

De nouveaux ambassadeurs de l'empereur sont arrivés, avec des cadeaux encore plus beaux que ceux des précédents. J'ai assisté à tous les entretiens et, comme la dernière fois, ils ont respectueusement expliqué à Cortés que Moctezuma ne pourrait les recevoir et qu'ils devraient rebrousser chemin. Mais Cortés n'a fait que répéter, tout aussi respectueux, qu'il avait traversé l'océan sur les ordres de son roi très puissant, Charles, qui voulait présenter ses hommages au grand souverain Moctezuma, et qu'il ne rentrerait pas chez lui tant qu'il n'aurait pas vu de ses propres yeux Mexico-Tenochtitlán, la splendeur de l'Empire mexica.

Je sais qu'il dit vrai : il a une volonté de pierre et ne s'arrêtera pas avant d'avoir rencontré l'empereur. D'ailleurs, il y a quelques jours, il a fait détruire les bateaux qui ont amené son armée pour décourager les soldats qui parlaient de repartir à Cuba. Les meneurs de la rébellion ont été mutilés ou même pendus. Désormais, les chrétiens n'ont plus le choix : il faut qu'ils avancent vers les hautes terres.

Vera Cruz, le 15 août 1519

Demain, nous quitterons la côte. Nous lèverons le camp à l'aube, direction Mexico-Tenochtitlán, par la route de Tlaxcala, celle qui escalade les montagnes. Bernal m'a offert l'écritoire qu'il m'avait promise pour transporter mon journal et mon matériel d'écriture. Il dit que le voyage sera long et pénible, que les soldats ont peur de s'enfoncer dans ce pays immense où ils n'ont aucun allié, aucun repère. Je lui ai dit de ne pas s'inquiéter. Le capitaine Cortés est un grand homme, inspiré par leur Dieu et protégé par la Vierge. Avec un tel capitaine, les Espagnols ne peuvent pas échouer. Bernal a souri en me disant que j'étais plus convaincante qu'Hernán Cortés lui-même !

Ce matin, don Hernán m'a fait appeler pour être à nouveau sa langue et ses oreilles, lui répéter tout ce que j'entendrais au cours de notre long et dangereux chemin vers la capitale. Pour me montrer son attachement, il m'a demandé quel cadeau me ferait plaisir. Sans réfléchir, j'ai dit : « de l'encre ». Il a eu l'air très surpris, alors il a fallu que je lui explique que ma petite fiole se vide vite et que désormais je serais très malheureuse de ne plus pouvoir écrire mon journal.

Soccochima, le 24 août 1519

Voilà plus d'une semaine que je n'ai pas pu écrire : depuis que nous sommes en route, c'est devenu beaucoup plus difficile. Nous marchons tout le jour, et quand le soir arrive, nous nous arrêtons dans les villages et nous avons fort à faire avant la tombée de la nuit. À peine arrivés, les chrétiens cassent les statues des divinités, dispersent les autels de fleurs et de copal[1] et y plantent une croix en bois. Les villageois les regardent faire, effrayés, sans rien dire.

Pourtant, nous sommes toujours bien accueillis, car les caciques de cette région détestent les Mexicas et les accusent de les écraser sous les impôts. Dans chaque village, le capitaine me fait appeler pour que j'explique aux villageois qui est le Dieu des Espagnols, en quoi ce Dieu est le plus grand, et qu'il est désormais interdit de sacrifier des humains et de manger leur chair. À force de répéter ce discours, je le connais par cœur et j'y ai mis mes propres mots pour mieux me faire comprendre par ces villageois qui n'ont jamais entendu parler de Jésus ou de Marie. Souvent, quand j'ai fini de traduire, il fait déjà nuit, et sans lumière je ne peux pas écrire. Alors, mon journal me manque. Le capitaine m'a promis une chandelle dès que les bateaux qui doivent approvisionner les Espagnols seront arrivés.

Il est toujours aussi gentil avec moi, il semble très content de mes traductions et il m'offre beaucoup de cadeaux : un peu d'encre ou de papier, une poule ou

---

1. Copal : résine qui servait d'encens lors des rituels religieux.

des prunes… Je n'arrive pas à croire à mon bonheur. C'est peut-être vrai que je suis devenue une personne importante. Bernal dit toujours que je dois remercier la mère de Jésus, Marie. Elle me rappelle un peu notre Tonantzin, la mère des dieux, la déesse de la consolation qui protège les faibles et les malheureux.

Xalacingo, le 27 août 1519

Avant-hier, nous avons traversé un désert de glace avant de passer la nuit sous des giboulées de grêle. Les soldats n'ont pas pu faire de feu, et ils ont dû dormir dans leurs armures. Moi qui n'avais qu'un pauvre huipil[1] pour me protéger, je n'ai pas réussi à fermer l'œil tellement je tremblais. Trois esclaves que les Espagnols avaient ramenés des îles chaudes, de l'autre côté de la mer, sont morts durant la nuit. Les malheureux, qui ne connaissaient que le soleil, n'ont pas résisté au froid et à l'altitude.

Heureusement, nous sommes redescendus hier des hauts plateaux et nous sommes arrivés dans

---

1. Huipil : vêtement féminin, sorte de robe tunique.

un lieu agréable, Xalacingo. Une petite journée de marche nous sépare encore de Tlaxcala. Mais le cacique de Xalacingo s'est montré peu accueillant. C'est à peine s'il a offert quelques poules et du maïs ! La maison qu'il a proposée au capitaine est toute petite et malpropre. Il répondait de mauvaise grâce aux questions que je lui posais. J'ai fini par comprendre qu'il avait reçu des ordres de Moctezuma et qu'il serait puni si l'empereur apprenait qu'il avait hébergé et accueilli les étrangers. Quand le capitaine l'a su, ses yeux sont devenus rouges, son front s'est plissé comme la mer sous la tempête, et il dit entre ses dents : « Je veux que tu lui fasses peur, Marina. » Alors, je n'ai pas réfléchi, les mots sont sortis tout seuls de ma bouche et j'ai lancé d'un seul souffle, animée par la même colère que mon capitaine : « Les Espagnols sont puissants, bien plus puissants que l'empereur mexica. Ce sont des demi-dieux, ils sont invincibles, et pour un que tu tueras, il en arrivera dix autres plus féroces encore. Si tu refuses son alliance, toi et les tiens, vous êtes perdus. » Le cacique s'est mis à trembler, il a ramassé un peu de terre qu'il a portée à sa bouche en signe de soumission et il a commandé des vivres et des fleurs pour honorer ses hôtes.

Le capitaine m'a lancé un regard admiratif qui m'a remplie de joie. Tout à l'heure, j'ai reçu de sa part deux rouleaux de papier, trois fioles d'encre et une douzaine de chandelles. Il sait que rien ne peut me faire plus plaisir. Il y avait aussi un petit mot écrit de sa main : « pour doña Marina ». Son page m'a dit que « doña » veut dire « grande dame ». Oh, comme je voudrais que ma mère me voie, en ce moment, avec ce bout de papier où le capitaine de la plus puissante armée du monde vient de m'écrire que je suis une « grande dame » !

Xalacingo, le 30 août 1519

Les éclaireurs sont revenus ce matin de Tlaxcala avec de mauvaises nouvelles. La ville se prépare à la guerre. Des archers tlaxcaltèques ont pris position dans les bourgs autour de la ville. Nous ne sommes pas attendus comme nous l'espérions. Le capitaine a envoyé des ambassadeurs, et ces officiers ont demandé que je les accompagne. Le capitaine a hésité, puis il a refusé. Il préfère me garder près de lui et a envoyé Aguilar pour traduire. Plus tard, quand nous avons été seuls, le capitaine m'a expliqué qu'il avait peur que les Tlaxcaltèques, me sachant mexica, me retiennent et me sacrifient. Il a ajouté en riant que je lui étais trop précieuse pour finir dans l'estomac d'un cacique de Tlaxcala. Quand il plaisante avec moi, son air de cruauté disparaît et ses yeux, d'habitude si sévères, deviennent doux et humides.

Ce soir, les ambassadeurs chrétiens ne sont toujours pas revenus et les Espagnols sont très inquiets. Les soldats murmurent qu'ils ont été mangés par les Tlaxcaltèques. Pour tromper l'ennui et l'attente, j'ai commencé à apprendre l'espagnol à Oveja, mais elle y met de la mauvaise volonté. Elle dit que les Espagnols sont de méchantes personnes, cruelles et puantes. C'est vrai qu'ils sentent très mauvais, mais c'est normal, puisqu'ils ne se lavent jamais et qu'ils ne quittent quasiment pas leur armure de métal. Mais je crois surtout qu'elle souffre de les voir se moquer d'elle à cause de son visage allongé.

Xalacingo, le 31 août 1519

Toujours pas de nouvelles des officiers ambassadeurs. Les Espagnols se tiennent prêts à faire la guerre. Le capitaine m'a chargée de traduire un discours aux femmes qui accompagnent l'armée : il leur a demandé de soigner les futurs blessés comme s'ils étaient leurs frères, leurs fils ou leurs maris. Ensuite, il leur a fait jurer de ne pas parler avec les gens d'ici, et surtout de ne rien dire sur les Espagnols. En effet, une rumeur circule dans le pays : on répète que les chrétiens sont des immortels. « Tant que les ennemis croiront que nous sommes invincibles, nous le serons, a dit le capitaine. Sinon, nous serons balayés comme de la poussière, et vous avec nous. » Toutes les femmes, qu'elles soient olmèques, toto-naques, mexicas ou mayas, ont juré d'être fidèles et loyales. Seule Oveja n'a pas ouvert la bouche. Lorsque je lui en ai fait le reproche, elle a pleuré en me disant qu'elle m'aimait, qu'elle me serait toujours fidèle et dévouée, mais qu'elle haïssait les Espagnols.

Tlaxcala, le 15 septembre 1519

La guerre contre Tlaxcala dure depuis deux semaines maintenant, et nous, les femmes, nous passons nos journées à nous occuper des blessés. Les soldats sont épuisés et démoralisés. Ils disent qu'ils se battent à un contre cinquante et que, sauf miracle, la victoire est impossible. Même la nuit, ils ne peuvent pas se reposer, car, lorsque les combats s'interrompent, le capitaine a ordonné que le champ de bataille soit nettoyé des cadavres d'hommes et de chevaux.

Moi aussi, je suis épuisée. Et j'ai peur. Si les Espagnols sont vaincus, je ne serai plus jamais « doña Marina ». Je redeviendrai une esclave. Ou je serai sacrifiée au sommet d'une pyramide.

Tlaxcala, le 20 septembre 1519

La guerre est finie, et – oh, merci, Sainte Marie Tonantzin ! – les Espagnols sont vainqueurs. J'ai accompagné les envoyés de Cortés pour négocier la paix. Le capitaine a été très miséricordieux : il a promis aux Tlaxcaltèques de les protéger contre les méchancetés des Mexicas. C'était très courageux de sa part, parce que les ambassadeurs mexicas assistaient aux négociations. Désormais, les Tlaxcaltèques sont les alliés des Espagnols, ils leur ont offert des princesses et une armée de guerriers qui va nous accompagner jusqu'à la capitale. Les négociations de paix ont duré toute la journée et nous sommes repartis vers le campement ravis, mais épuisés. L'armée espagnole aussi est à bout, et le capitaine m'a avoué qu'une seule bataille de plus, et nous aurions été écrasés. Les soldats ont chanté, bu et dansé jusqu'à l'aube.

Ce matin, don Hernán a fait donner une grande messe en présence des Tlaxcaltèques. Les caciques et les princesses offertes aux Espagnols ont été baptisés. Les nouveaux chrétiens ont juré de renoncer à leurs dieux et aux sacrifices humains, mais je ne suis pas sûre qu'ils tiendront leur promesse. C'est difficile d'oublier du jour au lendemain les dieux que nos pères et nos grands-pères nous ont appris à honorer. Même moi, qui aime les chrétiens pour tous les bienfaits qu'ils m'ont apportés, j'oublie parfois que le vrai nom de Tonantzin, c'est « Vierge Marie ». Et il m'arrive aussi, avant de commencer ma journée, de m'incliner devant l'étoile du matin, alors que je ne dois vénérer que la croix.

Tlaxcala, le 27 septembre 1519

Le capitaine est jaloux de moi ! Il est furieux parce qu'on l'appelle « Malinche », ce qui veut dire « le capitaine de Marina », c'est-à-dire moi. C'est comme ça que les gens d'ici le nomment, à force de nous voir toujours ensemble, à toutes les rencontres avec les caciques ou avec les ambassadeurs de l'empereur. Ce que je crois, moi, c'est que ces gens-là sont très surpris de voir une femme, une ancienne esclave censée garder toujours les yeux baissés, s'entretenir comme je le fais avec des hommes importants, des caciques, des prêtres, des guerriers… Ils voient ce capitaine, qu'ils redoutent tant, me parler toujours avec respect, parfois même s'incliner devant moi. Et cela, ils ne peuvent le comprendre !

Oui, le capitaine Cortés m'aime beaucoup, et même s'il me fait peur avec ses yeux perçants et sa barbe noire, aujourd'hui, j'ai éclaté de rire quand je l'ai entendu me dire qu'il n'appréciait pas d'être un capitaine qui porte un nom de femme. Lorsqu'il m'a vue rire, sa colère s'est éteinte aussitôt. Ses yeux se sont faits doux et humides, il a effleuré mes cheveux du creux de la main et il m'a dit : « C'est la première fois que je te vois rire, Marina. Ton visage est tout illuminé… »

Tlaxcala, le 10 octobre 1519

Depuis qu'ils sont nos alliés, les Tlaxcaltèques font tout pour nous rendre la vie agréable. Tous les jours, ils nous apportent des vivres, des esclaves et des cadeaux. Les après-midi, le capitaine et ses officiers s'entretiennent avec les caciques. Ils ne sont jamais fatigués de poser des questions, et moi, je dois inlassablement traduire et répéter les mêmes choses. Les Espagnols sont surtout très curieux de savoir à quoi ressemble Mexico-Tenochtitlán, la ville forteresse entourée d'eau. Ils craignent d'être obligés de l'assiéger, car la cité lacustre est reliée à la terre par des chaussées qui peuvent se relever et la rendent imprenable. D'autres ambassadeurs sont arrivés de la capitale, avec des cadeaux magnifiques. Ils répètent encore et toujours la même chose : les Espagnols ne doivent pas s'approcher de l'empereur, ils doivent retourner d'où ils viennent. Moi, je suis sûre que le capitaine ne leur obéira pas. Je vois bien qu'il ne pense qu'à avancer, à rencontrer Moctezuma et à découvrir Mexico-Tenochtitlán.

Oveja refuse toujours de parler espagnol, mais elle est fascinée par l'écriture. Pendant que je travaille à mon journal, elle reste assise à côté de moi et elle me regarde faire avec un sourire émerveillé. Ce qu'elle préfère, c'est quand elle me dicte un petit mot pour Bernal, par exemple : « Cher Bernal, veux-tu donner une fève de cacao à Oveja ? » Ensuite, elle court remettre le papier à Bernal, et quand il lui donne la fève, elle éclate de joie. Cela lui semble un pur prodige qu'il ait pu deviner ! Ce petit jeu l'amuse tant qu'elle me réclame des mots quinze fois par jour. Je suis obligée de refuser, car le papier et l'encre sont rares.

Je voudrais rester toute ma vie dans les douces montagnes de Tlaxcala, où l'air est si pur et léger, à regarder le soleil se coucher entre les volcans, à jouer avec Oveja ou à parler de la Vierge Marie avec Bernal… Je sais qu'il va falloir bientôt repartir, et cela me fait peur.

Tlaxcala, le 14 octobre 1519

Le capitaine, après avoir pris longuement l'avis de ses alliés et de ses officiers, a décidé de passer tout de même par la ville de Cholula avant de rejoindre Mexico-Tenochtitlán. Les Tlaxcaltèques l'ont mis en garde sur la méchanceté des gens de Cholula, qui sont leurs ennemis héréditaires et sont soumis à l'empereur. Mais don Hernán a déclaré qu'il devrait de toute façon, un jour ou l'autre, affronter les Mexicas. Et que le plus tôt serait le mieux. Le courage du capitaine est immense, et il impressionne tous ceux qui l'approchent.

Je suis triste de quitter Tlaxcala, mais en même temps j'ai hâte de découvrir Cholula, qui est une grande ville sainte, avec des dizaines et des dizaines de temples et des milliers de pèlerins venus de tout l'Empire et même au-delà.

Cholula, le 16 octobre 1519

Hier, lorsque nous sommes arrivés à Cholula, on aurait dit que toute la ville était venue nous attendre pour nous rendre hommage. Les fleurs, les chants, les tambours et les grelots des prêtres, les fanions de papier sacré accrochés entre les terrasses... je ne savais plus où donner de la tête ! Pour ne pas effrayer les gens de Cholula, le capitaine a demandé à nos alliés de Tlaxcala de ne pas s'approcher de la ville et de camper plus loin, dans la campagne.

Dès que nous avons eu fini de nous installer dans le temple qu'ils avaient arrangé pour nous, les caciques et les prêtres de Cholula nous ont fait apporter des quantités de vivres et nous ont tenu de longs discours d'amitié.

Mais dans la soirée le capitaine m'a fait appeler et, quand je suis entrée dans son appartement, j'ai compris qu'il se passait quelque chose de grave. Il ne m'a pas fait venir pour traduire puisque seuls ses généraux étaient là. Ils se sont tournés vers moi lorsque le page m'a annoncée, et ils m'ont dévisagée en silence, la mine sévère. Même Pedro de Alvarado, le capitaine aux cheveux rouges, qui est toujours en train de rire et de plaisanter, se mordait nerveusement le bout des doigts.

– Doña Marina… a dit Cortés d'une voix forte.

– Oui, seigneur, ai-je répondu, bouleversée qu'il me nomme ainsi devant tous ses généraux.

– Tu es une étoile que la Sainte Vierge a placée sur notre route. Sans toi, notre terrible mission serait encore plus compliquée, encore plus dangereuse… Sois bénie pour ce que tu as fait jusqu'à maintenant.

Le capitaine s'est incliné devant moi. Les seigneurs espagnols se sont levés et ont fait de même, à leur manière raide et gauche, et cela m'a remplie de confusion. Je n'ai jamais sauvé la vie de personne, surtout pas d'une armée aussi redoutable que celle des Espagnols, avec leurs chevaux et leurs trompettes qui crachent le feu et la mort ! Mais le capitaine a poursuivi :

– Sans toi, l'empereur nous aurait déjà anéantis. Sans toi, les milliers de guerriers tlaxcaltèques qui nous escortent ne seraient pas prêts à se battre avec nous. Sans toi, sans tes talents d'interprète, sans la connaissance que tu partages avec nous, nous serions perdus.

J'ai bafouillé, le cœur au bord des lèvres, les joues brûlantes :

– Seigneur, tu as fait de moi une personne importante. Je suis à ton service et je n'ai fait que ce que je pouvais faire.

– Et tu peux davantage, Marina. Bien davantage. Il faut que tu nous dises tout ce que tu sais sur Moctezuma. Il nous couvre de bijoux, d'or et d'esclaves, mais il refuse de nous rencontrer. Il multiplie les ambassadeurs qui ne nous disent rien, ne nous proposent rien et se murent dans le silence quand nous exigeons de venir à la capitale. Pourquoi, Marina ?

– Parce que le seigneur Moctezuma a peur de toi

et de ton armée, seigneur. Voilà pourquoi il envoie tant d'ambassadeurs. Il veut savoir qui vous êtes avant de décider s'il va vous recevoir.

– Et pourquoi a-t-il peur de nous ? À cause de nos chevaux et de nos armes ? Parce qu'il croit que nous sommes des demi-dieux ?

– Seigneur, certains disent que vous êtes des dieux. D'autres, qui vous ont vus à cheval, disent que vous êtes des créatures mi-homme, mi-animal. D'autres disent que vous êtes envoyés pour punir les Mexicas, qui n'ont pas assez honoré les dieux. Moctezuma a peur, seigneur capitaine. On dit que les présages funestes se multiplient à Mexico-Tenochtitlán.

– Quel genre de présages ?

– Le temple de Huitzilopochtli, le dieu de la guerre, a été détruit par un incendie que personne n'a vu partir et que personne n'a pu éteindre. Une terrible vague a jailli du lac de Mexico et détruit une partie de la lagune. Des gens ont vu dans le ciel des étincelles de feu qui ont traversé la nuit en suivant la course du soleil. D'autres ont entendu pleurer la déesse Cihuacoatl, la femme serpent, la nuit dans les rues de la capitale. D'autres enfin ont vu un oiseau au front orné d'un miroir. Je ne fais que répéter ce que j'ai entendu, seigneur…

Des guerriers espagnols ont ri, l'aumônier a fait le signe de croix en répétant à voix basse : « Blasphème, magie, superstition », mais le capitaine a levé la main d'un geste brusque et les Espagnols se sont tus.

– Continue, Marina. Dis-moi : le grand Moctezuma a-t-il peur de ces présages ?

– Oui, seigneur capitaine. Les gens racontent qu'il a réuni tous ses prêtres et ses mages; ceux-là disent tous que ces présages sont en rapport avec vous, mais ils n'arrivent pas à se mettre d'accord.

– Se mettre d'accord sur quoi, Marina ?

– Ils se demandent s'il faut vous accueillir comme des envoyés des dieux ou vous écraser comme des fourmis.

Les guerriers espagnols ont pâli en entendant mes paroles et aucun n'a ri lorsque j'ai dit « foulmis ». Le capitaine les a laissés murmurer des prières. Son front était barré d'une ride profonde. Je connais cette ride, je l'ai déjà vue sur son visage. Il avait la même lorsqu'il a fallu négocier la paix avec les seigneurs de Tlaxcala, alors que les Espagnols se sentaient à bout de forces…

– Écoute-moi, Marina. Il se passe des choses inquiétantes à Cholula. Nos alliés de Tlaxcala qui campent autour de la ville m'ont prévenu que trois mille archers mexicas marchent vers nous. Les gens de Cholula nous font des sourires et des caresses, mais nous avons de bonnes raisons de penser qu'ils ont reçu des ordres de l'empereur pour nous anéantir…

J'ai compris qu'il attendait quelque chose de moi et j'ai levé le menton vers lui.

– Que dois-je faire, seigneur capitaine ?

Il s'est approché du coffre où sont entassés les cadeaux offerts par l'empereur : des coiffes de plumes subtilement tissées, des bijoux de jade et d'or, des habits brodés, des miroirs d'obsidienne[1] finement polis… Il a plongé la main dans un pot en jade, d'où il a sorti une pleine poignée de fèves de cacao, ces petits grains qui ont tant de valeur pour nous.

– Demain, aux premières lueurs, tu te promèneras en ville ; tu iras au marché, tu achèteras tout ce qu'il te plaira. Et tu poseras des questions, tu tâcheras de savoir ce qui se passe. Dès que tu sauras, tu viendras me voir. Fais vite, le temps presse.

À partir de maintenant, je ne suis plus seulement interprète. Je suis aussi espionne. Et je serai une

_____

1. Obsidienne : pierre volcanique noire, dure et tranchante.

espionne qui fera tout son possible pour que la guerre soit évitée.

Cholula, le 17 octobre 1519

Le soir va bientôt tomber et j'attends que le capitaine ait fini d'écrire à son roi pour aller lui parler. J'ai hâte de lui raconter ce que j'ai appris, mais écrire est une occupation sacrée qui demande concentration et recueillement, et je ne veux pas le déranger.

J'ai passé ma journée à me promener dans Cholula, comme le capitaine me l'avait demandé. Je n'ai jamais vu une ville aussi grande et aussi belle. J'avais entendu parler de ses grandes places ombragées, de son grand marché où l'on trouve des marchandises qui viennent de très loin, de ses innombrables temples, dont celui de Quetzalcóatl, le dieu serpent à plumes, le plus haut des temples jamais construits. Ce matin, quand j'ai renversé la tête pour voir le sommet de sa pyramide qui s'élance comme une montagne vers le ciel, je me suis sentie fière d'appartenir à un peuple aussi puissant, capable de bâtir d'aussi belles choses.

Un peu plus tard, j'ai déambulé entre les étals en luttant contre les souvenirs qui me faisaient mal.

C'est sur un marché comme celui-ci que je suis devenue esclave, alors que j'avais huit ans. Je ne me souviens plus du nom de la ville, mais à Cholula, ce matin, j'ai retrouvé les odeurs si particulières de ce jour-là : un mélange de pelotes en poils de lapin, de galettes de maïs, de miel, de vanille et de volaille grillée, et ma gorge s'est nouée. Je revois ma mère, son dernier regard lorsqu'elle m'a vendue au marchand maya, l'air préoccupé avec lequel elle comptait les fèves de cacao qu'il lui avait données, et sa silhouette qui a disparu pour toujours. Et puis, après la mélancolie, j'ai éprouvé une étrange sensation, une sorte de joie sauvage : je n'étais plus une esclave chargée d'acheter les provisions pour ses maîtres, pressée de rentrer pour piler le maïs et laver les habits, j'étais une dame libre, et je tenais dans ma main assez de fèves de cacao pour m'acheter plus de huipils que ma maîtresse maya n'en a jamais possédé.

Alors, c'est devenu agréable de flâner, d'admirer les poteries, les parures de plumes, les couvertures brodées, de se laisser enivrer par les odeurs de nourriture et de copal… Je ne suis pas habituée à voir tant de gens rassemblés, aussi différents, et surtout aussi calmes. Là où j'ai grandi, sur la côte des Mayas, les marchés sont bruyants et animés, les gens parlent fort, et parfois même ils se disputent. J'ai réalisé combien les gens de mon pays sont apaisés et courtois. Je n'ai pas oublié pour autant la mission que m'a confiée le capitaine, j'ai ouvert mes yeux et mes oreilles, tout en examinant les huipils. J'en ai trouvé un avec des ornements rouges et bleus, si beau et si bien brodé que j'ai donné toutes mes fèves sans regrets pour l'acheter.

Je n'ai rien vu ou entendu d'inquiétant, jusqu'à ce que ma route croise celle d'une vieille femme qui vendait des feuilles de tabac et du copal dans un recoin du marché. Elle m'a fixée d'une étrange manière et, du doigt, elle m'a fait signe de m'approcher.

– Je te reconnais, ma fille. Je t'ai vue avec les demi-dieux lorsqu'ils sont arrivés à Cholula. Tu es une esclave ? m'a demandé la vieille.

Je ne sais pas pourquoi, j'ai eu le sentiment qu'il valait mieux ne pas la détromper, et j'ai acquiescé.

– Et les demi-dieux étrangers vont te sacrifier ?

– Non. Les Espagnols ne font pas de sacrifices humains. Ils les détestent. Ils disent que leur Dieu est amour et ils ne veulent pas faire couler le sang pour Lui.

La vieille m'a regardée un moment encore en

silence. Puis elle m'a dit de m'asseoir à côté d'elle parce qu'elle voulait lire mon avenir. Elle a allumé le copal dans un petit encensoir et, avant de jeter des grains de maïs en l'air, elle a profondément inspiré la fumée sacrée.

– Bénie soit Notre Mère la Terre qui nous nourrit, béni, Notre Seigneur le Feu qui nous réchauffe, béni, Notre Père le Ciel qui nous donne la lumière et l'eau.

Les yeux mi-clos, elle a examiné le dessin que formaient les grains retombés devant elle.

– Tu as déjà tout perdu et tu perdras encore. Car ceci est ta destinée : ce qui te sera donné te sera repris, et ce qui te sera enlevé ne te sera pas toujours rendu.

Ces quelques mots m'ont fait frissonner. J'ai pensé au beau huipil que je venais de m'acheter et, tout à coup, j'ai eu envie de le rendre au marchand qui me l'avait vendu si cher. Plutôt le rendre que me le faire enlever !

La vieille a ouvert grand les yeux et ajouté :

– Tu es jeune, tu es belle et tu es esclave. Moi aussi, j'ai été jeune, belle et esclave. Je sais ce que tu endures, ma fille, et ce que je vais te dire vient directement de mon cœur : quitte les Espagnols, sauve-toi, et tu sauveras ta vie. Car les gens de Cholula ont reçu l'ordre de massacrer les étrangers. Ce soir, les femmes et les enfants seront évacués et les conques de la guerre vont retentir.

– Qui a donné cet ordre ? ai-je demandé en tremblant.

– L'empereur, là-bas, depuis la grande Mexico-Tenochtitlán, a répondu la vieille.

Je suis allée rejoindre les Espagnols en serrant mon huipil contre moi. En passant devant le temple de Quetzalcóatl, je me suis rappelé que c'était un dieu qui parlait d'amour et de beauté, de fleurs et de chants, et que lors de son passage sur terre il avait interdit les sacrifices humains. Alors, je l'ai prié de tout mon cœur, pour qu'il sauve les Espagnols et qu'il empêche le sang de couler.

Cholula, le 18 octobre 1519

Le jour n'est pas encore levé. Quelque chose d'épouvantable va se produire. Je le sais et je le sens. La lune entre dans son dernier quartier, celui où les prédictions doivent s'accomplir. Quelque chose dans l'air, dans les bruits qui flottent dans la nuit, dans la lueur tremblante des étoiles, dans le souffle menaçant du vent, tout me dit que les dieux de mes ancêtres et le Dieu des chrétiens vont bientôt s'affronter.

J'écris à la lueur du brasero[1], car les chandelles se font rares et le capitaine les garde pour lui. Tout à l'heure, quand je lui ai raconté ce que la vieille m'avait dit, de colère, il a frappé le poing contre la table et la chandelle s'est renversée, de la cire est tombée sur la lettre qu'il avait mis tant de soin à écrire à son roi, et il s'est fâché encore plus. Puis il s'est tourné vers moi, il a pris mes mains entre les siennes, comme il aime à faire quand il veut me dire des choses importantes, et il s'est calmé. Ses colères sont terribles, mais elles ne durent pas. Il est comme l'herbe sèche, qui se consume aussi vite qu'elle s'enflamme.

– Pourquoi ne veulent-ils pas nous écouter, Marina ? Pourquoi me forcent-ils à faire ce que je ne veux pas faire ?

Je n'ai pas su quoi répondre. Je n'ai pas compris ce que le capitaine me disait, ou plutôt j'avais tellement peur que mon esprit était incapable de comprendre. J'ai bafouillé :

---

1. Brasero : brasier qui servait de chauffage.

– Que vas-tu faire, mon seigneur ?

Mais la bouche du capitaine est demeurée close et ses yeux ne me regardaient plus. Ils fixaient la cire répandue sur le parchemin. Une conque a retenti depuis le sommet d'un temple, au loin, et le capitaine a frissonné.

– Je hais le son de ces maudits coquillages, a-t-il murmuré. Ils me remplissent de terreur. As-tu déjà entendu le son des cloches, Marina ?

J'ai répondu que non, que je ne savais pas ce qu'étaient les cloches.

– Leur son est si beau, on dirait la musique des anges. Un jour, tu les entendras. Elles empliront le ciel de la terre mexica, elles s'appelleront et se répondront de village en village. Tu sentiras ton cœur déborder de joie rien qu'à les entendre.

Son visage s'est durci et il a ajouté sèchement :

– Sois présente demain matin, dès le lever du soleil. J'aurai besoin de toi pour traduire. Nous avons convoqué les ambassadeurs de l'empereur et les nobles de Cholula. Et prépare tes affaires, car nous allons bientôt quitter la ville.

En sortant de la tente, j'ai de nouveau entendu la complainte d'une conque au loin. Elle venait du camp de nos alliés tlaxcaltèques. Et j'ai reconnu son chant : c'était un chant de guerre.

Huejotzingo, le 28 octobre 1519

Voilà maintenant dix jours que je n'ai pas écrit.

C'est vrai que nous avons repris notre chemin vers Mexico-Tenochtitlán, et qu'il n'est pas facile d'écrire quand on marche toute la journée et que le soir il faut installer le camp. C'est vrai que le papier est rare, et l'encre encore plus. C'est vrai aussi qu'il fait très froid et que mes doigts sont engourdis…

Mais prétendre que je n'ai pas écrit à cause de toutes ces raisons, ce serait mentir. Or, comme le dit mon ami Bernal : « Face au papier, une plume à la main, le mensonge est un sacrilège. » Alors, puisque je dois dire la vérité au papier, je n'ai pas écrit parce que je n'arrive pas à raconter ce qui s'est passé. Parce que je ne veux pas que ce que j'ai vécu soit une vérité. Je veux juste oublier ce que mes yeux ont vu, ce que mes oreilles ont entendu. Depuis Cholula, chaque fois que je ferme les paupières, je revois les corps mutilés et les ruisseaux de sang, je revois les yeux fous des chevaux, des yeux qui sont si tranquilles et si doux d'habitude. Chaque fois que j'arrête de marcher, j'entends de nouveau les hurlements et les sanglots. Malgré la fatigue du chemin qui grimpe dur dans la montagne, je n'arrive pas à dormir.

Il y a dix jours, le matin du 18 octobre, j'ai fait ce que le capitaine avait ordonné. J'ai enfilé le beau hui-pil que je venais d'acheter, j'ai emballé mes affaires dans une couverture que j'ai accrochée à mon dos, et je me suis rendue dans le temple où les nobles et les prêtres de Cholula avaient été invités à s'entretenir avec les Espagnols. En arrivant, j'ai remarqué que les arquebuses et les canons étaient sortis, que les pages préparaient les chevaux.

Comme toujours, le capitaine avait fait disparaître les statues et les autels des dieux dans le temple. Il y avait fait disposer des croix et un tableau de Jésus le fils de Dieu, celui qui me fait si peur avec son visage de sacrifié sur la croix, et un autre de Sa mère. Je n'y ai pas vraiment prêté attention, car cela fait partie de la routine des Espagnols.

Lorsque tous les caciques et les prêtres sont entrés dans l'enceinte, les soldats espagnols se sont placés contre les murs. Le capitaine a expliqué à ses hôtes que les dieux de leurs pères étaient des démons, qu'il fallait les détruire et les oublier. Que le seul Dieu véritable était celui des chrétiens, Celui qui a donné Son Fils pour sauver les hommes. Là encore, il n'y avait rien de nouveau ou d'inquiétant.

Mais les prêtres de Cholula ont commencé à gronder et à agiter leurs grelots, leurs bâtons sacrés et leurs tambourins. Alors, le capitaine a poursuivi d'une voix gonflée par la colère :

– Pourquoi refusez-vous de voir la vérité ? J'ai traversé la mer immense pour venir vous apporter la bonne nouvelle et faire de vous les sujets du roi d'Espagne, qui est très aimé par Dieu et qui vous aime comme un père. Pourquoi agissez-vous contre moi ? Que voulez-vous ? Faire couler le sang ?

Je traduisais à toute vitesse et la colère du capitaine était ma colère, ses mots étaient mes mots, et mon souffle tremblait comme le tonnerre. À ce moment précis, je croyais dans ce Dieu des chrétiens et leur roi Charles comme si je n'avais jamais eu d'autres seigneurs.

– Pourquoi m'obligez-vous à vous punir ? a lancé le capitaine. Moi qui suis venu vous apporter la paix, le salut et l'amour de Dieu, pourquoi complotez-vous contre moi comme des lâches et des traîtres ?

Les seigneurs de Cholula ont échangé des regards anxieux. Leur chef est venu s'agenouiller devant le capitaine et a répondu qu'ils avaient été forcés d'agir ainsi sur les ordres de Moctezuma, que c'était l'empereur qui leur avait ordonné de supprimer les étrangers.

En entendant cela, le capitaine a fait appeler les ambassadeurs de l'empereur à côté de lui, et quand ils l'ont rejoint, il leur a dit :

– Puisque c'est ainsi, vous allez voir ce qui arrive à ceux qui me veulent du mal. Je vais épargner vos vies pour que vous puissiez voir et raconter.

Puis il a crié à pleins poumons : « *Santiago !* » Et mon cœur s'est arrêté de battre, car je connaissais ce cri, je l'ai entendu maintes fois à Tlaxcala, et je savais ce qu'il signifiait : la guerre.

Un fracas épouvantable a retenti dans le temple : les portes se sont ouvertes d'un coup et les chevaux harnachés ont pénétré dans la salle, portant des Espagnols qui brandissaient leurs épées. Les lourdes portes se sont refermées sur eux. Les soldats alignés contre les murs du temple ont à leur tour armé leurs arquebuses et les ont pointées vers les caciques. Alors, le cauchemar a commencé.

Je me suis réfugiée dans un angle et je suis restée

là, comme paralysée. Le sang a coulé, coulé, tellement que les chevaux en étaient couverts, qu'ils sont devenus fous et ont piétiné les cadavres. Le sang a tellement coulé et giclé qu'il a souillé mon beau huipil, et que j'ai dû le brûler dans l'espoir d'échapper à mes cauchemars.

L'horreur a duré deux jours et deux nuits, car les Espagnols ont ouvert l'enceinte de la ville à leurs alliés Tlaxcaltèques jusque-là restés à distance de Cholula. Ils se sont rués à l'intérieur et ont massacré tous ceux qui croisaient leur chemin, hommes, femmes, vieillards et enfants. Le cauchemar dure encore dans mon cœur et dans ma tête, et désormais je n'ai plus ni Dieu, ni seigneur, ni père, ni mère. Je suis une ombre qui erre dans les ténèbres.

Popocatépetl, le 29 octobre 1519

Hier matin, nous avons repris la route vers le Popocatépetl, et cette nuit nous avons campé entre deux volcans, dans un passage où le vent était glacial. Le capitaine m'a fait porter des couvertures et un autre brasero. Je ne lui ai pas parlé depuis Cholula. Chaque fois qu'il me demande, je fais répondre par

Oveja que je vais mal, que je peux à peine marcher et que je suis incapable de traduire. Oveja devine ma douleur et elle m'apaise avec des chansons que je ne comprends pas, mais qui parlent à mon cœur.

Le capitaine a décidé de poursuivre sa marche vers la capitale sans y être invité. Ses éclaireurs tlaxcaltèques l'ont averti que la route habituelle, qui contourne les volcans, est truffée de pièges et de guerriers en armes. Alors, nous avons suivi un chemin que personne n'a jamais pris tant il est difficile et monte haut. Depuis trois jours que nous avons commencé l'ascension, nous marchons dans le brouillard et le vent. Nous attendons le retour des Espagnols qui sont montés au sommet. Personne n'a jamais fait ça, personne n'a jamais osé troubler le dieu Popocatépetl et, malgré moi, je ne peux m'empêcher d'admirer le courage, la curiosité et la foi des chrétiens, qui n'ont pas peur d'affronter un dieu volcan.

Sachant que je ne vais pas bien, Bernal m'a offert une petite image de la Vierge. Elle est si bien peinte, elle ressemble tant à une vraie personne que je la serre contre moi avant de m'endormir. Sa douceur et sa bonté m'enveloppent, ses yeux plongent dans les miens et caressent mon âme. Alors, les cauchemars de Cholula s'éloignent et je peux dormir en paix.

Vallée de l'Anáhuac, le 2 novembre 1519

Aujourd'hui, j'ai vu le plus beau spectacle de ma vie. Même si le chemin a été long et douloureux, même si j'ai dû traverser des massacres et gravir des montagnes, malgré la pluie qui m'a glacée et les cailloux qui m'ont blessée, je ne regretterai jamais d'avoir marché jusqu'ici.

Nous sommes arrivés en milieu de journée au sommet d'une montagne qui surplombe l'Anáhuac. Cette immense vallée entourée de hautes montagnes abrite la capitale de l'Empire, *Cem-Anáhuac Tlali Yoloco*, « le centre et le cœur du Monde Unique », comme l'appellent les gens de mon peuple. Nous avons regardé le spectacle, éblouis, émerveillés. Les Espagnols sont restés muets, comme foudroyés devant la beauté de l'Anáhuac qui s'étalait à leurs pieds.

Dans la vallée se trouvent trois lacs qui communiquent entre eux par des canaux. Tout autour, la terre est tantôt montagne orgueilleuse et blanche, tantôt forêt d'un vert profond, tantôt plaine couverte de champs jaunes, cernés par les traits gris des chemins. Au bord des lacs, les villes blanches de l'Anáhuac se dressent, moitié sur la terre, moitié sur l'eau, comme des perles sur le cordon du rivage. Au milieu de l'eau, isolée et fière, Mexico-Tenochtitlán, la plus belle pierre du collier, est reliée à la terre par trois chaussées qui ressemblent à des fils d'argent.

Même Bernal, qui a fait la guerre dans beaucoup d'endroits et assure connaître les plus belles villes d'Europe, m'a dit qu'il n'avait jamais vu de paysage aussi merveilleux ni de ville aussi somptueuse. Mon cœur s'est gonflé de bonheur et de fierté, jusqu'à ce que je me souvienne du grand temple de Quetzalcóatl, là-bas, à Cholula, à présent réduit à néant. Je me suis arrachée à ma contemplation et j'ai regardé autour de moi. J'ai vu les visages incrédules et émerveillés des soldats espagnols, le sourire pensif du capitaine. J'ai vu ses lèvres qui murmuraient une prière tandis que sa main se serrait sur son épée. Alors, moi aussi, j'ai prié pour chasser l'ombre noire qui était tombée sur moi. Sainte Vierge, Dame Blanche, Notre Puissante Mère Tonantzin, faites, oh, faites que le sang ne coule plus.

Amecameca, le 6 novembre 1519

Nous avons installé le campement dans un village tout près des lacs. Les gens d'ici, d'Amecameca, mais aussi des villages alentour, nous ont suivis toute la journée, et depuis que nous sommes arrivés, ils nous apportent des dindons, du maïs et des fleurs. Ils nous observent aussi avec insistance et un peu d'inquiétude. Les délégations de Moctezuma se succèdent, toutes porteuses de cadeaux somptueux, de victuailles et de messages d'amitié. Mais elles disent toutes la même chose : l'empereur ne souhaite pas recevoir les étrangers.

Tout le monde a entendu parler de moi. Je dois me cacher si je ne veux pas être assaillie de questions par les villageois. Ils veulent tous savoir si les Espagnols sont vraiment des demi-dieux, ou des envoyés de Quetzalcóatl, le serpent à plumes. Ils me demandent s'ils forment un seul corps avec leurs chevaux, si leur armure est une sorte de peau en métal qu'ils ne peuvent pas enlever. Certains s'inquiètent de savoir si leur puanteur est le signe d'une maladie. J'ai même entendu dire que cette maladie pourrait être en rapport avec la soif d'or qu'ils manifestent, et que s'ils puent, c'est parce qu'ils manquent de l'or dont ils ont besoin pour vivre, tout comme les êtres humains ont besoin d'eau.

Alors, je répète inlassablement que les Espagnols sont des envoyés de Dieu venus récupérer Son royaume, et comme les gens d'ici sont des paysans ignorants qui croient aveuglément tout ce qu'ils entendent, je n'ai aucun mal à les persuader que le seul vrai Dieu est celui des chrétiens. Je ne me pose pas la question de savoir si je dis la vérité. Depuis Cholula, la seule que je suis capable de prier, c'est la Vierge que m'a offerte Bernal. Je sais qu'elle ne fera jamais verser le sang et qu'elle aura toujours des larmes pour ceux qui souffrent.

L'ambiance a changé au camp. Les soldats continuent à afficher des mines féroces et à faire sonner leurs trompettes pour impressionner les Mexicas, mais je vois bien qu'ils sont inquiets. La splendide capitale qu'ils ont découverte depuis le col les a émerveillés autant que terrifiés. Et les guerriers de plus en plus nombreux qui accompagnent les ambassadeurs ne font rien pour les rassurer. Au coin du feu, quand les généraux ne sont pas là, les soldats espagnols répètent que l'Empire mexica est un tigre et l'armée chrétienne une puce. Le capitaine a eu vent de cette triste plaisanterie et il a rétorqué que l'armée espagnole était une puce enragée qui allait rendre fou le tigre.

Il passe beaucoup de temps avec ses soldats, à leur parler, à les rassurer et à les écouter. Mais il est aussi très strict. Il a interdit le trafic d'or, les jeux de cartes et de dés. Les Espagnols qui volent, qui violent ou qui malmènent des Mexicas sont sévèrement punis. Hier, un fantassin qui avait forcé une jeune villageoise à l'embrasser a reçu vingt coups de fouet.

Iztapalapa, le 7 novembre 1519

Demain, nous entrons dans la capitale. Demain, nous verrons l'empereur. Il a enfin donné son accord. En fait, je crois qu'il n'avait pas le choix. Mais je sais que ce n'est pas parce qu'il a peur d'affronter les Espagnols. « Moctezuma » signifie « seigneur courageux », et tout le pays reconnaît qu'il a été choisi pour sa bravoure. Soit il acceptait de recevoir les Espagnols, soit il les repoussait. Et il ne pouvait pas les repousser sans les écraser ni se demander quelles seraient les conséquences de son geste. Il n'a pas peur de la guerre, ce sont les dieux qu'il redoute.

La nouvelle s'est répandue à toute vitesse parmi les Espagnols, et elle a aussitôt semé la fièvre. Les soldats astiquent leurs armures et leurs épées, les palefreniers brossent les chevaux jusqu'à leur arracher la peau, les pages reprisent les étendards et frottent les bottes des commandants jusqu'à ce qu'elles brillent comme de l'obsidienne.

Le capitaine a longuement parlé à son armée tout à l'heure. Il a exhorté ses hommes à avoir l'air brave et invincible, à penser à la gloire et aux richesses qui les attendaient. Puis il m'a fait appeler pour que je traduise son discours à nos alliés de Tlaxcala. J'aime l'écouter, j'aime le traduire. Il parle bien, ses mots vont droit au cœur, ils réveillent mon courage et ma foi. J'essaye de trouver dans ma langue des mots aussi puissants que les siens.

Après la messe, il m'a dit qu'il voulait s'entretenir avec moi en tête à tête. Je dois le rejoindre dans sa tente dès qu'il aura fini son conciliabule avec les généraux.

Iztapalapa, le 8 novembre 1519

L'étoile de Vénus vient d'apparaître, la nuit va bientôt finir et je ne suis toujours pas couchée. Le brasero s'est éteint et j'ai très froid. Mais il faut que j'écrive, même si je tombe de fatigue. Oui, je dois écrire, afin de ne jamais oublier.

Hier soir, lorsque je suis entrée dans sa tente, le capitaine était seul, il contemplait son casque où se reflétait la lumière de la bougie. Il m'a fait signe de m'asseoir sur un siège à côté de lui, puis il m'a demandé si je voulais du vin. J'ai refusé. Le capitaine est resté silencieux, les yeux toujours fixés sur le reflet qui dansait sur le métal.

– Je n'ai pas peur, Marina, a-t-il lancé soudain en me regardant droit dans les yeux.

Je n'ai rien dit, j'ai pensé qu'il se parlait à lui-même.

– Je commande l'armée la plus courageuse du monde, je suis protégé par mon roi et par Dieu. Quant à mon ennemi, il pense que je suis un demi-dieu, et que s'il me détruit, il sera détruit à son tour. Je ne peux donc craindre ni la mort ni l'échec. La seule chose que je redoute, Marina, c'est… Je ne veux pas faire couler le sang. Voilà ce que je ne veux pas.

J'ai souri et j'ai répondu que j'étais heureuse d'apprendre cela.

– Je sais, Marina, je sais. J'ai vu comme tu as été touchée par ce qui est arrivé à Cholula. Dis-moi, que penses-tu de ce qui s'est passé là-bas ?

J'ai baissé les yeux, surprise d'apprendre qu'il

pouvait s'intéresser à ce que je ressentais, et honteuse aussi de ne pas savoir mieux cacher mes sentiments. Mais j'ai trouvé le courage de parler avec mes propres mots :

– Il me semble que parmi nos coutumes c'est le sacrifice humain qui fait le plus horreur aux Espagnols.

– Oui, c'est vrai, a répondu le capitaine, un peu surpris. Le vrai Dieu déteste qu'on tue des hommes pour Lui. Au contraire, Il a donné Son Fils pour sauver les hommes. Voilà le message que nous, les chrétiens, sommes venus apporter à ton peuple.

– Pourtant, je sais à présent que vous n'hésitez pas à tuer au nom de votre Dieu. À tuer même des femmes et des enfants.

– Ce n'est pas la même chose…

J'ai osé interrompre le capitaine :

– Non, ce n'est pas la même chose, tu as raison, seigneur. Moi, je crois que les Espagnols font la guerre pour tuer, alors que les miens se battent pour faire des prisonniers qui seront lavés, parés, et parfumés pour être ensuite sacrifiés aux dieux. Mais ne vaut-il pas mieux mourir au sommet d'un temple, honoré par des colliers de fleurs et des chants, plutôt que dans la boue d'un champ de bataille ?

Le capitaine m'a regardée d'un air effrayé.

– Ne parle pas comme ça, Marina, c'est impie.

J'ai pensé que « impie » est un mot qui existe aussi en nahuatl. Dans les deux langues, il veut dire « outrage à la religion » mais il fait référence à des paroles ou des actes différents chez les Mexicas et chez les Espagnols. À ce moment, j'ai commencé à comprendre que traduire le sens des mots, c'est plus compliqué que traduire juste les mots…

– Moi aussi, a poursuivi le capitaine, je regrette cette tuerie. Je l'ai ordonnée parce que je n'avais pas le choix. Mais je veux éviter que cela se reproduise. Et pour cela, j'ai besoin de mots, j'ai besoin de paroles, j'ai besoin de toi, Marina. Tu es ma langue, tu es mes oreilles, tu es ma plus sûre alliée.

Il s'est levé et il a pris ma main pour que je me lève aussi. Il m'a doucement attirée vers lui et il a caressé mes cheveux.

– Demain, nous rencontrerons l'empereur et tu seras entre lui et moi. Entre ce que je dis et ce qu'il dit. Tu ne pourras pas te contenter de traduire mes paroles. Car derrière les mots se cachent des images mystérieuses, et tu devras trouver celles qui parleront à son cœur, qui ébranleront son esprit, le sais-tu, Marina ?

– Oui, seigneur, je le sais. Mon peuple dit : « La salive est une eau sacrée qui vient du cœur. »

– Ton peuple est sage, je le découvre jour après jour.

Le capitaine s'est rapproché de moi. Ses mains ont quitté mes cheveux pour venir se poser sur ma taille. Il a murmuré :

– Qu'y a-t-il dans ton cœur à toi, Marina ? Y a-t-il quelque chose pour moi ?

Mes yeux n'étaient plus capables de voir, ma bouche n'était plus capable d'articuler. Et je crois bien que sans les bras du capitaine qui me serraient contre lui mes jambes auraient été incapables de me porter. Mais il n'y avait plus rien à dire et j'ai laissé parler mon corps. Le capitaine m'a portée jusqu'à sa couche, puis il a soufflé sur la bougie.

Il fait jour à présent et je n'ai pas dormi de la nuit. Nous lèverons le camp d'ici peu. J'ai de plus en plus froid et mes mains tremblent tellement la peur noue mon ventre. Oh, je t'en prie, Notre Mère, Sainte Vierge Tonantzin, par pitié, accorde-moi le don de la parole juste et vraie, celle qui éloigne les démons de la violence et de la guerre.

Deuxième partie

———

LE CŒUR DU MONDE UNIQUE

Mexico-Tenochtitlán, le 9 novembre 1519

Nous sommes installés au cœur de la ville, dans un palais qui appartenait à l'ancien empereur, celui qui a régné avant Moctezuma. Je n'ai encore rien vu de notre nouvelle demeure, à part l'aile où nous sommes logés, mais le palais a l'air immense.

J'écris depuis la terrasse de ma chambre, qui domine la ville. Don Hernán dort encore tandis que j'admire les deux temples jaune et rouge inondés par le soleil levant, au sommet de la pyramide du Grand Temple. Mon bonheur est si immense qu'il me semble trop grand pour moi et cela me donne envie de pleurer…

J'ai l'impression que la journée d'hier a duré un siècle. Il s'est passé tant de choses que je voudrais ne jamais oublier ! Par où commencer ?

À l'aube, les soldats étaient prêts pour avancer vers Mexico-Tenochtitlán. Les yeux graves et la mine sombre, ils ont communié et prié tous ensemble avant de prendre la route. Vers le milieu de la journée, nous sommes arrivés au bord du lac, devant la chaussée d'Iztapalapa, suivis à bonne distance par une foule de paysans venus de toute la vallée pour admirer les étrangers. Des centaines et des centaines de pirogues couvertes de fleurs nous ont escortés, alors que nous avancions vers les murailles de la capitale sous les yeux effarés des Mexicas qui voyaient pour la première fois des chevaux, avec leurs sabots qui claquaient sur le sol et la fumée qui sortait de leurs naseaux. Leur stupeur devant les soldats et les arbalétriers, qui avançaient en ligne dans leurs armures étincelantes, dressant leurs épées, faisant tonner leurs arquebuses, suivis par les canons, les trompettes et les porte-drapeaux...

Mais je ne peux pas tout rapporter, il me faudrait plus d'encre et de papier que je n'en possède !

Je me contenterai donc de raconter aussi fidèlement que possible ce qui s'est passé lorsque le capitaine et l'empereur se sont trouvés l'un en face de l'autre. C'était un moment de silence, comme si tous les êtres vivants de la vallée de l'Anáhuac avaient retenu leur souffle. Comme si le chant des oiseaux, le crissement des insectes, la musique du vent dans les guirlandes de fleurs avaient été suspendus...

La rencontre a eu lieu au bout de la chaussée

d'Iztapalapa, à l'entrée du cœur du Monde Unique, au milieu du lac. L'empereur est descendu d'une litière en or portée par des hauts personnages de sa cour. Lorsqu'il a posé le pied par terre, les nobles ont déroulé un tapis afin que ses pieds ne touchent pas le sol. Il a avancé vers nous, sous un dais tissé de fils d'or, de plumes de quetzal[1], de plaques d'argent et de perles. J'ai baissé les yeux jusqu'à ce que je ne voie plus que ses sandales en or, car je connais la loi qui interdit à quiconque de regarder ou de toucher l'empereur. Aussi, lorsque j'ai vu le capitaine s'avancer vers lui, les bras grands ouverts, j'ai compris qu'il allait lui donner une accolade à la manière des chrétiens et je me suis rendu compte que je n'avais pas pensé à prévenir mon seigneur. Au même moment, la garde impériale s'est saisie du capitaine et les archers ont pointé leurs flèches sur lui. Mais l'empereur les a écartés d'un geste, et ma peur s'est envolée. J'ai compris que Moctezuma était prêt à accueillir le capitaine comme un hôte de marque, un visiteur venu de loin, ignorant nos coutumes, à qui il faut savoir pardonner les manquements à l'étiquette.

---

1. Quetzal : oiseau sacré aux longues plumes vertes et rouges.

Sans quitter l'empereur des yeux, le capitaine a murmuré dans ma direction :

– Que se passe-t-il, Marina ?

– Ne le touche pas, ne le regarde pas, incline-toi et tout ira bien.

Cortés a alors enlevé son casque ; il s'est baissé devant le souverain. Ils ont échangé les salutations et les compliments d'usage. L'empereur a offert une multitude de cadeaux, en disant qu'il attendait les chrétiens, que sa personne, son pouvoir et ses richesses étaient à leur disposition. Le capitaine remerciait et s'émerveillait avec de grands sourires et des mots fleuris. Je traduisais vite, sans les regarder ni l'un ni l'autre, jusqu'à ce que j'entende l'empereur prononcer ces mots incroyables :

– Et toi, femme qu'on appelle Malina, toi qui vis avec eux, diras-tu que ce sont des demi-dieux ?

Moctezuma me parlait, à moi ! Et il me demandait mon avis !

C'était si incroyable de l'entendre prononcer mon nom que je n'ai pas pu m'empêcher de lever les yeux vers lui.

– Réponds, Malina, a poursuivi le souverain. Sont-ils des demi-dieux ?

Ma voix tremblait quand j'ai réussi à parler :

– Je ne sais pas, seigneur. Mais je sais qu'ils sont protégés par un Dieu puissant qui ne les a jamais abandonnés.

Mon regard a replongé vers le sol, et l'empereur a ajouté d'une voix infiniment triste :

– Nos dieux à nous, eux, nous ont abandonnés...

Il s'est tourné vers le soleil, s'est incliné et il a dit cette phrase :

– Ils nous ordonnent d'honorer le Dieu des étrangers. Peut-être est-Il la dernière chance qui nous est donnée pour que notre monde ne s'arrête pas !

Lorsque j'ai traduit ces paroles au capitaine, il a saisi ma main et l'a serrée très fort. J'ai senti un long frisson de bonheur courir le long de mon dos.

Oh, Sainte Vierge, toi qui t'appelles Marie et Tonantzin, comme moi je m'appelle à la fois Malinalli et Marina, c'est toi qui as permis que nous arrivions au terme de notre voyage sans que plus de sang ne coule. C'est grâce à toi que nous sommes reçus comme des dieux dans la plus belle ville du monde...

« Sommes-nous invités ou prisonniers ? » Les Espagnols se posent la question mille fois par jour. Ils ont du mal à comprendre qu'une cité aussi belle, opulente et bien gardée se soit livrée si facilement. Ils se demandent où est la traîtrise. Ils dorment en armure dans les lits de plumes et, de peur d'être empoisonnés, font goûter à leurs pages les plats raffinés que l'empereur leur livre... Ils ne peuvent pas comprendre qu'un homme aussi puissant soit prêt à confier son royaume à des étrangers, sous prétexte que ses dieux l'ont abandonné !

Même le capitaine a du mal à se détendre. Il exige que j'assiste à tous les entretiens avec les nobles, les prêtres et les guerriers qui défilent depuis deux jours. Toute la journée d'hier a été consacrée à l'échange de cadeaux. J'ai dû traduire pendant des heures les remerciements et les politesses d'usage. À la fin, c'était ennuyeux.

Cet après-midi, l'empereur est venu nous présenter sa famille, ses frères et sœurs, ses concubines et ses enfants. Parmi eux, il y a une jeune princesse très jolie, qui s'appelle Tecuichpo. L'empereur nous l'a présentée comme sa fille préférée. Elle nous a salués très poliment, mais sans un sourire. Pendant que je traduisais l'entretien entre son père et don Hernán, j'ai senti le poids de son regard sur moi. Et quand j'ai croisé ses yeux, ce que j'ai lu m'a fait mal. « Tu es une traîtresse », disaient les prunelles noires et froides de la petite princesse. Son mépris m'a hantée tout le reste de la journée.

Mexico-Tenochtitlán, le 11 novembre 1519

Ce soir, alors que, depuis la terrasse, nous regardions les pirogues se faufiler dans les canaux, entre les vergers, les maisons fleuries et les temples colorés, le capitaine m'a demandé si cette beauté n'était pas destinée à nous endormir, et si le défilé des compliments et des cadeaux n'était pas un piège pour mieux nous écraser ensuite. Pas plus que ses soldats, don Hernán ne croit à la sincérité de l'empereur.

– Pourquoi ne se bat-il pas ? a-t-il demandé. Il sait bien désormais que nous ne sommes pas des immortels. Il sait aussi que nous sommes venus conquérir son pays et renverser ses dieux. Alors, pourquoi ? Est-ce qu'il a peur ?

J'ai vivement répondu que non, que Moctezuma,

avant d'être nommé empereur, était un grand guerrier aigle[1], réputé pour son courage. Il a peur de ses dieux, pas des chrétiens. J'ai ajouté :

– Je crois qu'il ne sait pas quoi faire. Votre façon de penser, de faire la guerre, de prier est trop étrange pour lui. Pour l'instant, il ne sait pas s'il doit vous aider ou vous combattre.

Mes mots ont dû toucher don Hernán, car il m'a serrée contre lui avec beaucoup de tendresse. Ses étreintes sont souvent rudes, et j'ai un peu peur de lui. Mais cette fois-ci, il était vraiment doux et gentil. Et pour une fois, il sentait bon ! En effet, ce matin, je l'ai obligé à entrer dans le *temazcal*[2] pour qu'il purifie son corps fatigué par ce long voyage. J'avais préparé des herbes-pour-l'esprit, qui, en se consumant, procurent l'apaisement et le dialogue avec l'au-delà. Il a consenti à se dénuder pour y entrer avec moi, mais il a gardé son épée à côté de lui !

---

1. Guerrier aigle : élite des combattants de l'armée mexica.
2. *Temazcal* : bain de vapeur où de l'eau bouillante est jetée sur des pierres chauffées au feu.

Mexico-Tenochtitlán, le 12 novembre 1519

J'ai accompagné le capitaine et ses officiers au palais de l'empereur, où nous avons passé la journée. Ce palais est encore plus grand et encore plus beau que celui où nous sommes logés. Si grand qu'on dirait une ville. La principale salle de réception peut accueillir trois mille personnes. Dans chaque patio, on trouve des fontaines, des fleurs et des statues qui représentent toutes les créatures existant sur terre, dans l'eau et dans l'air. Les murs sont couverts de boiseries finement sculptées et de pierres précieuses.

Des centaines, peut-être même des milliers de gens vivent dans le palais : la famille impériale, bien sûr, avec les nombreuses concubines de l'empereur et leurs enfants, mais aussi des seigneurs et des serviteurs. L'empereur apparaît vraiment comme le plus grand souverain de l'Univers. Tous ceux qui se présentent devant lui doivent être pieds nus, vêtus pauvrement, et s'avancer en baissant la tête. Ils répètent « Seigneur, mon seigneur, grand seigneur » avant de parler, et lorsqu'ils repartent, c'est encore la tête baissée, en marchant à reculons. Néanmoins, Moctezuma répond à chacun avec beaucoup de respect et de courtoisie. Je dois avouer qu'il m'a paru noble et mesuré, digne d'être le *tlatoani*[1], le « Grand Orateur », comme on appelle les empereurs en nahuatl.

Ensuite, nous avons visité les patios et les jardins. Des allées fleuries serpentent dans ces derniers et conduisent aux logements des invités. Plus loin, vers les murailles extérieures, se trouvent d'immenses réserves d'armes et de nourriture. Au bord d'un lac, des jeunes filles de la cour s'entraînaient à danser et à chanter. Nous sommes restés un moment à les contempler. Elles étaient si gracieuses et si élégantes ! Puis les officiers espagnols leur ont montré des pas de danse de leur pays, qu'elles ont essayé d'imiter. C'était un moment joyeux, et nous avons tous beaucoup ri, sauf la jeune princesse Tecuichpo, qui s'est tenue à l'écart et n'a dansé avec personne. Je voulais la saluer, mais elle a détourné les yeux comme si elle ne me connaissait pas. Cela m'a rendue triste, jusqu'à ce que nous arrivions au palais des oiseaux, au fond du parc. Là, j'ai eu l'impression de vivre un rêve. Toutes sortes d'aigles, de perroquets, de quetzals et de canards y vivent et une foule de serviteurs

---

1. *Tlatoani* : grand orateur nahua.

s'occupe de ce lieu merveilleux : certains nourrissent et soignent les animaux, d'autres nettoient les cages et surveillent les nids, ou ramassent les plumes que d'autres encore vont tisser pour fabriquer des capes de guerre qui doivent rendre les guerriers invincibles…

Vers le soir, nous avons assisté au dîner du souverain, qui se déroule dans une grande pièce aux murs peints de couleurs éclatantes et éclairée par des centaines de torches et de braseros. L'empereur choisit parmi une trentaine de plats posés sur des réchauds et cinq jeunes filles très belles et très nobles le servent et veillent à ce qu'il ne manque de rien. Tant qu'il mange, personne ne doit parler ou tousser, même dans les salles environnantes. À la fin du repas, pendant qu'il boit son *chocolatl*[1] et fume un cylindre de *tabaco*[2], des nains, des bossus, des musiciens et des danseuses viennent le divertir. Les Espagnols ont ri, ils ont applaudi et tout le monde s'est séparé, heureux d'avoir passé une si belle journée.

---

1. *Chocolatl* : chocolat.
2. *Tabaco* : tabac.

Mexico-Tenochtitlán, le 13 novembre 1519

Après quatre jours d'insistance, le capitaine a obtenu que nous puissions sortir de notre palais-forteresse pour visiter librement les alentours. Nous sommes d'abord allés sur la grand-place de Tlatelolco. J'ai vu les Espagnols retenir leur souffle. Le capitaine lui-même était ébloui par la splendeur et la taille de la capitale. Il m'a confié que sur la grand-place on pourrait faire entrer la ville de Salamanque, qui est une des plus célèbres cités de son pays. Il a murmuré que jamais, dans aucune cité d'Europe, il n'avait vu tant de beauté, d'ordre et de monuments aussi imposants. Il s'est beaucoup intéressé à la réglementation, à la police, à l'entretien des rues et des canaux. Il semblait sidéré qu'une ville si grande soit propre et bien ordonnée.

Ensuite, nous sommes allés au grand marché, et Bernal ne m'a plus quittée d'une semelle ! Il était fasciné par toutes les choses inconnues qu'il voyait sur les étals. Je devais tout lui nommer : *ahuacatl*[1],

---

1. *Ahuacatl* : avocat.

tlacacahuatl[1], *cacahuatl*[2], *ayacotli*[3], chili, *xictomatl*[4], *tlilxochtli*[5], *xalxocotl*[6], *huexolotl*[7]... Il fallait aussi lui expliquer s'il s'agissait d'un fruit ou d'un légume, et comment on pouvait le cuisiner, et avec quoi ça se mangeait... Bernal est un vrai gourmand, doté d'une curiosité aussi insatiable que son appétit !

Cet après-midi, l'empereur doit nous faire visiter le Grand Temple. J'ai hâte de voir ce temple, si haut et si coloré de loin. Mais je redoute ce moment, car je sais combien les Espagnols détestent nos dieux...

Le soir

Une catastrophe ! Comme j'avais raison de redouter ce moment ! La visite au temple s'est très mal terminée. Pourtant, tout avait bien commencé. Avant de partir, le capitaine a sermonné les officiers qu'il

---

1. *Tlacacahuatl* : cacahuète.
2. *Cacahuatl* : cacao.
3. *Ayacotli* : haricot.
4. *Xictomatl* : tomate.
5. *Tlilxochtli* : vanille.
6. *Xalxocotl* : goyave.
7. *Huexolotl* : dindon.

avait choisis pour l'accompagner. Il leur a fermement demandé de ne pas montrer leur désapprobation ou leur dégoût devant les statues et les fresques qu'ils allaient voir. Don Hernán est désormais convaincu que nous sommes des invités-prisonniers. Il nous faut donc tolérer les dieux des Mexicas, au moins pour l'instant.

Au début, les officiers se sont montrés obéissants et respectueux. Ils ont salué les prêtres en robe noire et déchirée, aux ongles et aux cheveux si longs et si sales qu'on aurait dit qu'ils vivaient dans la forêt. Ils ont écouté sans broncher les chants et les flûtes des vierges sacrées. Ensuite, le capitaine et l'empereur se sont lancés dans une discussion compliquée sur leurs religions. Je devais être très attentive pour bien traduire, et je n'ai rien vu de ce qui m'entourait. Ce n'est que lorsque nous sommes arrivés devant les palissades où sont accrochés par centaines les crânes des sacrifiés que les Espagnols ont commencé à gronder. Certains crachaient de dégoût, d'autres ont fermé les yeux en faisant le signe de la croix.

L'empereur a feint de ne rien voir et il a poliment proposé au capitaine de monter avec lui au sommet de la grande pyramide de Huitzilopochtli, le seigneur de la guerre. Don Hernán a accepté et m'a fait signe de le suivre.

Le capitaine a monté en silence les cent quatorze marches de la grande pyramide. Lorsque nous sommes arrivés sur la plate-forme et qu'il a vu l'oratoire où l'on procède aux sacrifices humains, son visage a blêmi et ses yeux se sont remplis de colère. L'empereur était en train de lui montrer l'étendue et le bel ordonnancement de sa cité, quand il a perçu le malaise du capitaine. Il lui a proposé un siège, afin qu'il se repose après cette longue ascension. Mais don Hernán a répondu sèchement qu'il n'était pas fatigué, qu'il n'était jamais fatigué, et que seuls les outrages à son Dieu pouvaient entamer ses forces. Puis sa colère est devenue telle qu'il a hurlé : « Vous devez cesser à jamais de sacrifier des humains à vos démons ! » Ma voix n'était qu'un murmure quand j'ai traduit ses paroles. Néanmoins, l'empereur n'a pas perdu son calme. Il a déclaré qu'il fallait à présent que les Espagnols regagnent leur palais, car il devait faire des sacrifices pour expier le péché qu'il venait de commettre en laissant des étrangers accéder aux temples et blasphémer contre ses dieux.

Don Hernán a immédiatement tourné les talons. Nous sommes redescendus tandis que les prêtres faisaient résonner les tambours de sacrifice et nous sommes rentrés au pas de course. Le capitaine n'a plus ouvert la bouche depuis cette visite, sauf pour ordonner à son intendant de faire construire une chapelle près de nos appartements.

Quant à moi, rien ne m'avait préparée au spectacle que j'ai découvert au sommet du temple de Huitzilopochtli : la pierre et les couteaux de sacrifice, les murs souillés de sang, l'odeur de la mort et les cœurs des victimes qui brûlaient dans les braseros... Tout cela, je n'aurais pas dû le voir. Seuls l'empereur, les prêtres et les victimes accomplissent en temps normal le long voyage sacré qui mène au sacrifice, eux seuls ont le droit de monter les interminables marches qui conduisent au mystère de la mort. Depuis que je suis petite, on me répète que si l'eau sacrée, le sang des hommes, ne coule pas, les dieux mourront et le monde s'arrêtera. Tous les gens de ce pays, même les plus pauvres et les plus ignorants comme moi, savent bien que les dieux ont fait de grands sacrifices pour créer les hommes, et qu'à notre tour nous devons offrir notre vie pour qu'ils ne meurent pas. J'ai toujours accepté le sacrifice comme une vérité et je ne m'étais jamais posé de questions à ce sujet. Jusqu'à maintenant, quand il me fallait traduire les discours des Espagnols et expliquer aux gens de mon peuple que les sacrifices sont une invention du diable, je ne réfléchissais pas vraiment à ce que je disais. Je pensais juste à bien traduire, à convaincre mes interlocuteurs…

Jusqu'à ce matin où j'ai vu le sang et les cœurs fumants… L'horreur qu'éprouvent les Espagnols devant les sacrifices humains, à présent, je la ressens en moi. Mais j'ai aussi vu leur arrogance, leur mépris, leur manque de respect, et un voile de tristesse s'est abattu sur moi. Horreur et tristesse ne m'ont pas quittée de la journée.

Le soir descend, et depuis ma terrasse je vois les feux qu'on allume au sommet des temples. Au loin, de l'autre côté du lac, dans les montagnes de l'Anáhuac, d'autres feux s'allument. Comme il est beau, le cœur du Monde Unique ! Et comme il est difficile de renier ce qu'on a appris à vénérer ! Comme il est vertigineux de vivre en se demandant à quelle vérité sacrée on doit croire…

Mexico-Tenochtitlán, le 14 novembre 1519

Cette nuit, j'ai rêvé des yeux d'obsidienne de la petite princesse Tecuichpo. Ils se rapprochaient de moi comme s'ils volaient et, au moment de me toucher, ils se transformaient en couteaux de sacrifice. Je me suis réveillée en sueur, le cœur palpitant d'angoisse, et je suis restée de longues minutes dans le noir à chercher le sens de ce rêve.

Ce matin, alors que le soleil se glissait sous le rideau de la terrasse, l'esprit de la Vierge Tonantzin est arrivé jusqu'à moi. Il m'a soufflé que le monde n'a pas besoin de sang pour perdurer, mais d'amour. Je repense à mon rêve, au regard lourd de reproche et de mépris que m'a adressé la petite princesse, l'autre jour. Et je n'ai plus honte. Un jour, je lui parlerai de la Vierge...

Le soir

Cet après-midi, comme souvent depuis quelques jours, j'ai donné une leçon de nahuatl à un page du capitaine. Il s'appelle Juan de Orteguilla. J'essaye d'être aussi patiente avec lui que Bernal l'a été avec moi. À vrai dire, Juan est si gai, si charmant et si vif que c'est un plaisir de lui enseigner ma langue. Ce travail a une autre conséquence, bien plus inattendue : ma chère Oveja, qui assiste à tous les cours, est tombée amoureuse du jeune page ! Elle le couvre de cadeaux, de fleurs et lui prépare de bons petits plats.

Aujourd'hui, tandis qu'elle était partie laver le linge, Juan est venu m'en parler. Il m'a dit qu'il aimait beaucoup ma servante, mais qu'il ne voudrait jamais l'épouser tant il la trouvait laide avec ses dents pointues et son visage allongé. « Aussi laide, a-t-il poursuivi en riant, que les statues de serpents à plumes qui ornent nos temples ! » Un peu vexée, j'ai rétorqué que ce qui semblait beau ici pouvait être laid ailleurs, et que ce qui importait, ce n'était pas l'écorce, mais le noyau. Oveja est revenue à ce moment et, par jeu, Juan lui a volé un baiser sur les lèvres en disant : « Oveja, ma douce, montre-moi quel goût a ton noyau... » Bien sûr, Oveja n'a rien compris à ce qu'il disait. Moitié fâchée, moitié riant, j'ai chassé Juan. Mais depuis, on dirait qu'Oveja marche sur les nuages. Elle m'a même demandé de lui apprendre l'espagnol !

Je n'arrive pas à y croire ! L'empereur est notre otage depuis ce matin ! À nouveau, je me demande où les Espagnols trouvent la force et le courage d'agir avec tant de détermination. J'ai bien vu ce matin que le capitaine avait une mine sombre quand il m'a fait signe de l'accompagner au palais de l'empereur, mais je croyais qu'il pensait encore à notre désastreuse visite au Grand Temple.

L'empereur avait la bouche déformée par des aiguilles d'or plantées dans ses lèvres. Le capitaine lui a demandé ce qu'il lui arrivait.

– Je fais pénitence, seigneur, pour avoir offusqué mes dieux en permettant à des regards étrangers de contempler le mystère sacré.

Pourtant, nous avons été reçus comme d'habitude avec les cadeaux et compliments rituels. Mais Cortés n'a même pas jeté un œil aux cadeaux. Plein de colère, il a expliqué au souverain qu'un message lui était arrivé de Vera Cruz et que quatre des Espagnols qu'il avait laissés là-bas pour défendre la forteresse ont été assassinés par les caciques locaux. L'un d'eux prétend avoir agi sur les ordres de l'empereur... Moctezuma a protesté et, pour prouver sa bonne foi, il a aussitôt envoyé des officiers sur la côte, en leur commandant de ramener d'urgence, morts ou vifs, les caciques coupables de cette trahison. Le capitaine s'est momentanément apaisé, mais il a ordonné à l'empereur de le suivre et de demeurer dans son palais jusqu'à ce que l'affaire soit éclaircie.

À ma grande surprise, Moctezuma a immédiatement accepté et il a indiqué à son intendant de préparer ses affaires. Certains nobles de sa cour ont pleuré et d'autres ont poussé des cris de protestation, de sorte que les officiers espagnols ont sorti leurs épées. Mais, encore une fois, l'empereur a fait taire ses courtisans et il nous a suivis, dans une modeste litière, comme un simple voyageur... Cortés a fait installer pour son otage un appartement confortable et lui a donné comme page Juan de Orteguilla, mon jeune élève, qui est ravi de servir un si grand roi. Les seigneurs mexicas ont défilé toute la nuit, nu-pieds et en pleurs, devant la porte de leur maître...

Mexico-Tenochtitlán, le 20 novembre 1519

Cet après-midi, j'ai passé un long moment à discuter avec Bernal sur la terrasse qui domine la cour centrale du palais. Il est inquiet, et m'a parlé sans détours. Il me dit qu'il faudrait être fou pour se vautrer dans le confort et le luxe que nous offrent les Mexicas, que tous ces cadeaux ne sont que des poisons destinés à endormir notre vigilance. Il m'a avoué faire partie des officiers qui ont poussé Cortés à prendre l'empereur en otage. Je ne suis pas d'accord avec lui, et j'ai tenté de lui expliquer que Moctezuma était vraiment prêt à renoncer au pouvoir pour obéir à la volonté de ses dieux. Pour moi, son obéissance est la preuve de sa bonne foi. Mais Bernal s'est moqué de moi en me soutenant que tout cela n'était qu'un stratagème.

C'est alors que nous avons entendu un brouhaha dans la cour. Les ouvriers qui construisent la chapelle sont tombés sur une porte récemment scellée. Intrigués, ils l'ont ouverte et ont découvert un incroyable trésor : des tissus précieux, des armures de parade en plumes de quetzal, des boucliers, des disques, des bijoux en or et pierres précieuses. Ils ont entassé tout ce qu'ils ont trouvé dans la cour, et cela formait un immense tas étincelant. Ils étaient comme fous, leurs yeux brillaient, ils poussaient des cris et se prenaient dans les bras. Ensuite, ils ont arraché les plumes, séparé ce qui était or et pierres précieuses. Et toutes ces armures et ces merveilleux bijoux, si finement travaillés, ont été fondus en briques d'or. Le reste, les plumes et les tissus précieux, ils l'ont brûlé comme s'il s'agissait de déchets. Tandis que je les regardais faire, consternée de voir tant de beauté disparaître en fumée, Bernal m'a dit : « Tu vois bien, Marina, qu'on ne peut pas faire confiance à l'empereur. Il affirme que tout ce qui est à lui nous appartient. Mais il a pris soin de cacher son trésor. » Je n'ai pas su quoi répondre. Pendant que j'écris ces lignes, j'entends résonner les coups de hache et de masse dans les murs du palais. Les Espagnols sont en train de démolir toutes les cloisons dans l'espoir de trouver un autre trésor. Quelle folie est la leur ? Les gens d'ici auraient-ils raison quand ils affirment que les chrétiens ont besoin d'or pour respirer ?

Mexico-Tenochtitlán, le 24 novembre 1519

L'ambiance est lugubre depuis quatre jours. Les Espagnols n'osent plus sortir, leurs canons et leurs arquebuses sont pointés sur le portail de l'entrée. Les Mexicas n'acceptent pas que leur souverain soit emprisonné. Depuis deux jours, ils ont interrompu les livraisons de bois, d'eau et de nourriture. Hier soir, les braseros sont restés éteints, faute de combustible, et nous avons eu très froid. Si personne ne vient nous livrer d'ici demain matin, nous n'aurons plus rien à manger.

Le soir

On vient de nous approvisionner. Nos réserves sont à nouveau pleines, nous avons du bois et de l'eau en quantité… et c'est grâce à moi ! Tout à l'heure, le capitaine est venu me trouver, suivi par la garde de ses officiers. Bernal était parmi eux, et il m'a fait un petit sourire d'encouragement. Solennel et grave, le capitaine m'a demandé de parler au peuple de la ville. Il m'a suppliée de le faire pour eux tous. Comme je tremblais en affirmant que je me sentais incapable de faire une telle chose, il m'a dit :

– Doña Marina, à de multiples reprises, tu nous as sauvé la vie. Une fois de plus, notre destin est entre tes mains, et nous savons que tu trouveras les mots pour convaincre les Mexicas de ne pas nous laisser mourir de faim. Si tu ne leur parles pas, nous serons obligés de sortir les armes à la main. Et Dieu seul sait ce qui arrivera alors…

Ma gorge s'est nouée, les images de Cholula sont remontées à ma mémoire, et j'ai accepté. Si le sang devait couler à cause de ma faiblesse, je ne me le pardonnerais jamais !

Alors, je me suis avancée seule sur la terrasse, tandis que les trompettes sonnaient pour annoncer au peuple qu'on voulait lui parler. J'ai entendu les murmures de désapprobation et les insultes courir dans la foule. Que faisait une femme sur la terrasse réservée aux orateurs du souverain ? Et puis, mon nom a couru dans la foule : « Malina, c'est Malina », disaient les gens. Ils se sont tus pour m'écouter, et ma peur s'est envolée. J'ai parlé, haut et fort, et je leur ai fait peur tant ma voix était ferme et mes mots précis. Quand je suis rentrée dans le salon où les officiers espagnols attendaient, j'ai failli tomber de faiblesse. Bernal m'a serrée dans ses bras avec ces mots : « Marina, tu as été magnifique. Tu es une vraie princesse. » Une heure après, nous étions approvisionnés.

Pour fêter cette nouvelle victoire, ce soir, les officiers ont agrémenté leur banquet de ce qui restait du vin de messe, et ils ont levé leur verre en mon honneur. Je me suis forcée à boire un peu avec eux, mais j'avoue que ce breuvage, que les Espagnols adorent, m'a semblé dégoûtant...

Juan de Orteguilla apprend très vite. Il répète comme un perroquet des mots nahuatl, rien que pour le plaisir d'entendre leur son : *Popocatépetl, Cihuacoatl, Tenochtitlán...* Il dit que notre langue est douce et élégante, qu'elle ressemble à l'eau qui s'écoule et au vent qui fait bouger les feuilles. Tout à l'heure, nous avons éclaté de rire, Oveja et moi, quand il nous a dit en nahuatl : « Je veux devenir mexica. » Oveja se tenait les côtes en le traitant de fou, tant elle trouvait ça ridicule.

Mais Juan s'est exclamé, rouge de colère : « Vous êtes des idiotes, vous ne comprenez rien ! Je me sens chez moi ici. Les astres m'ont fait naître sur la mauvaise terre. C'est ici que j'aurais dû vivre. J'aurais été un grand guerrier aigle ! »

Il était vraiment fâché et Oveja, pour se faire pardonner sa moquerie, a demandé à l'esclave plu-massière du palais de confectionner un manteau en plumes d'aigle pour le jeune page. Je lui ai donné des fèves de cacao pour payer le travail, mais je l'ai prévenue : ce manteau est une folie. Jamais de la vie le capitaine n'autorisera un de ses soldats à porter une cape de guerrier mexica. Oveja est tellement amoureuse qu'elle ne m'écoute pas. Tout ce qu'elle veut, c'est faire plaisir à Juan.

Mexico-Tenochtitlán, le 30 novembre 1519

Comme le bonheur dure peu de temps ! Et comme les jours d'angoisse sont longs à supporter ! En ce moment, sur la grand-place, devant les yeux effarés des Mexicas qui n'ont jamais vu un tel spectacle, on est en train de brûler les trois caciques de la côte qui ont assassiné les soldats espagnols. Une odeur épouvantable monte jusqu'à ma terrasse, et je me suis réfugiée à l'intérieur, les rideaux tirés. Pourtant, je devrais me réjouir : les caciques ont affirmé qu'ils avaient agi de leur propre volonté et que l'empereur n'était pour rien dans ce crime. Seulement, je ne tolère plus la cruauté, je ne veux plus voir le spectacle de la mort. Même s'il s'agit de criminels, je préfère retenir la parole du Dieu des chrétiens : « Tu ne tueras point et tu pardonneras à tes ennemis. » Hélas, ce Dieu-là, pas plus que ceux d'autrefois, n'écoute la parole des misérables comme moi. Alors, je prie la Vierge Tonantzin devant l'image que Bernal m'a donnée, et il me semble qu'elle pleure avec moi.

Le soir

Au couchant, Juan est entré en furie dans mes appartements. Il n'arrivait plus à respirer et on aurait dit que ses yeux allaient jaillir de sa tête tant il était bouleversé. « Ils ont mis les fers à l'empereur ! » a-t-il balbutié. Je lui ai fait fumer une pipe de tabaco pour le calmer et il a réussi à m'expliquer que les caciques félons, au moment de monter sur le bûcher, avaient affirmé avoir obéi aux ordres de l'empereur. Aussitôt, Cortés a donné l'ordre à sa garde de se saisir du souverain, de lui mettre les fers aux pieds et de le transférer dans une pièce close. Comment le capitaine a-t-il osé ? J'étouffe de colère et de rage, je crois que je ne pourrai jamais lui pardonner sa terrible audace.

J'ai ordonné à Juan de me conduire tout de suite auprès de Moctezuma. Mais il m'a rétorqué que personne ne pouvait approcher l'empereur et que la pièce où il était enfermé était bien gardée par trois soldats.

En sortant de chez moi, j'ai croisé des membres de la famille de l'empereur, affolés et en pleurs. Ils m'ont suppliée d'intervenir auprès du capitaine pour qu'ils puissent rendre visite à leur roi. Incapable de résister à leur détresse, je suis allée frapper à la porte du capitaine. Je l'ai tant et si bien imploré qu'il a accepté d'enlever les fers à Moctezuma. Quand je leur ai annoncé la bonne nouvelle, les membres de la famille impériale m'ont saluée avec dévotion. Même la petite princesse Tecuichpo a daigné me sourire.

Ensuite, Oveja, Juan et moi, nous avons pleuré et prié ensemble, chacun dans notre langue. Puis nous avons parlé toute la nuit, pour échapper à notre inquiétude. Juan nous a confié un secret : il n'est pas un « vieux chrétien ». Ses grands-parents et arrière-grands-parents appartenaient à une autre religion qui a été persécutée par les chrétiens. Ses parents se sont convertis uniquement pour échapper aux massacres, du temps d'une reine terrible qui s'appelait Isabelle la Catholique. Dans sa famille, on continuait à prier un autre dieu, nommé Yahvé, dans le plus grand secret. J'étais très surprise de l'entendre parler ainsi, et je lui ai demandé s'il ne se sentait pas déloyal vis-à-vis de ses compagnons chrétiens.

– Sans doute que les Espagnols me trouveraient déloyal, a-t-il répondu. Et s'ils connaissaient mon secret, ils me brûleraient comme ils ont brûlé les caciques. Moi, au fond de mon cœur, je sais que je peux honorer la religion de mes ancêtres et celle d'aujourd'hui. Dieu, qu'il s'appelle Yahvé ou Mahomet, ne s'en offusque pas. Même pas Quetzalcóatl, qui est un si joli nom !

Je sais qu'il a raison. Je sais que la Vierge aime que je la vénère sous le nom de Tonantzin, parce que la divinité, quel que soit le nom qu'on lui donne, a juste besoin d'amour.

Mexico-Tenochtitlán, le 2 décembre 1519

L'empereur est toujours notre prisonnier. Il continue à gouverner depuis notre palais, mais le capitaine assiste à tous les entretiens avec ses ministres, et je dois traduire les échanges. Les nobles, les guerriers et les prêtres manifestent toujours la même déférence envers leur souverain. Cependant, je surprends des regards peinés, gênés, et aussi pleins de rage. Moi-même, parfois, j'ai du mal à cacher ma colère. Don Hernán doit avoir l'âme bien noire pour douter de la sincérité d'un homme aussi noble et pur que Moctezuma. Même sa captivité, il l'accepte sans se révolter. Et il demande à ses sujets de l'accepter. Aujourd'hui, il a offert sa fille aînée à don Hernán. Que lui faut-il d'autre, à mon sombre seigneur, pour avoir confiance ? Mon seigneur veut de l'or. Beaucoup d'or. Toujours plus d'or. Seul l'or peut l'apaiser. Et Moctezuma ne lui en donne pas assez…

Mexico-Tenochtitlán, le 15 décembre 1519

La fille aînée de Moctezuma été baptisée
« Catalina », et ce matin elle s'est installée dans notre
palais avec sa suite. Sa sœur, Tecuichpo, trop jeune
pour être donnée à un homme, lui tient compagnie,
et Moctezuma est visiblement ravi d'avoir sa cadette
auprès de lui. Il passe beaucoup de temps avec elle,
et insiste pour qu'elle assiste aux leçons de Juan, qui
est censé lui apprendre l'espagnol et la religion chrétienne. Mais c'est surtout Juan qui est très curieux
d'apprendre notre langue et nos coutumes.

Ce matin nous étions tous réunis, Juan, Oveja,
Tecuichpo et moi, et l'empereur nous a montré
quelques-uns de nos livres sacrés, en papier d'*amatl*[1]
ou en peau de cerf. Ils racontent la naissance des dieux
et l'histoire du peuple mexica. Je n'en avais jamais vu
et j'ai été émerveillée par leur beauté. Notre écriture
n'est pas faite de lettres, comme celle des Espagnols,
mais de dessins. L'empereur nous a expliqué comment lire les messages des dieux dans ces dessins,
et quel est le sens sacré des encres bleues, vertes ou

---

1. *Amatl* : papier en fibres de ficus.

rouges. Ceux qui savent lire et écrire sont pour nous de grands savants, des magiciens qui comprennent le langage de l'au-delà.

Ensuite, Tecuichpo nous a récité des poésies anciennes et des chants. Son père est très fier d'elle. C'est vrai qu'elle est belle, pleine de vivacité et d'intelligence. Elle sait beaucoup de choses que j'ignore sur nos dieux, sur l'histoire de notre peuple, sur les astres et les calendriers. Elle a grandi chez les vierges du temple de Quetzalcóatl, où sont éduquées les jeunes filles nobles. Elle a aussi appris à chanter et à danser à la perfection. J'aimerais tant qu'elle partage ces connaissances avec moi, comme le fait son père… Mais elle est toujours aussi froide et réservée lorsque je lui parle.

Mexico-Tenochtitlán, le 19 décembre 1519

Les jours s'écoulent sans vague, comme si tout était normal. Chaque matin, don Hernán et l'empereur échangent des salutations, ils plaisantent et rient ensemble. Le capitaine pose beaucoup de questions sur l'or, sur les endroits où l'on peut en trouver. Il dit qu'il doit en envoyer à son souverain, le puissant roi

Charles, là-bas. Moctezuma lui a fourni une carte avec les villages qui lui appartiennent et lui livrent de l'or. Il a écrit des lettres à ses vassaux, pour leur demander de bien recevoir les envoyés de don Hernán.

J'ai questionné Bernal afin de comprendre cette soif d'or. Il m'a raconté que, tout comme Moctezuma, le roi Charles possède un immense territoire, et a de nombreux ennemis. Il a besoin d'or pour leur faire la guerre et maintenir la cohésion de son royaume. Mais cela n'explique pas pourquoi tous les chrétiens en sont aussi avides. Alors, j'ai demandé à Bernal si lui avait besoin d'or pour vivre. Il m'a répondu en riant qu'il connaissait la légende racontée par les gens d'ici. « Non, Marina, pour vivre, j'ai besoin de manger, de boire et de dormir. L'or me permet d'acheter tout cela, et plus encore. Alors, oui, j'ai besoin d'or, mais raisonnablement... »

Mexico-Tenochtitlán, le 20 décembre 1519

Cela fait longtemps que je n'ai pas vu le capitaine. Mais je ne cherche pas sa compagnie. J'ai du mal à lui pardonner ce qu'il a fait à l'empereur. On dirait qu'il le sent et qu'il se tient à distance, parce qu'il n'aime pas quand je me révolte contre sa volonté. De toute façon, il passe ses nuits avec Catalina, la fille de l'empereur, sa nouvelle concubine.

Juan m'a demandé avec un brin d'impertinence si j'étais jalouse. Sa question m'a surprise : pourquoi le serais-je ? Il est normal que le capitaine ait plusieurs femmes, puisque c'est un puissant seigneur. Moctezuma possède plus de cent cinquante concubines, et seuls les plus pauvres n'ont qu'une seule épouse. Il est normal aussi que don Hernán honore Catalina, qui est une très noble princesse.

« Don Hernán me respecte, ai-je répondu. Il veille à ce que je ne manque de rien, il m'aime à sa façon. Qu'est-ce qu'une ancienne esclave pourrait demander de plus ? Je sais bien qu'il ne m'épousera pas devant le Dieu des chrétiens. Il a déjà épousé une femme à Cuba, et les chrétiens n'ont qu'une épouse officielle. »

Ce que je n'ai pas dit à Juan, c'est que parfois, quand le soir tombe, il me manque, et j'aimerais qu'il vienne me voir et que nous nous retrouvions cœur contre cœur, les yeux dans les yeux.

Mexico-Tenochtitlán, le 10 janvier 1520

Il fait beau et chaud, à tel point qu'on se croirait en été. La vie est douce dans le palais, comme si tous les événements du mois dernier n'avaient jamais existé. Je passe de longs moments avec l'empereur, Oveja et Juan. Quelle drôle de compagnie nous formons, si différents, autant par l'âge et l'origine que par le rang social !

Cet après-midi, profitant du soleil, nous avons cheminé en bavardant dans les jardins du palais. Les fontaines, les chemins pavés de pierres rares, les massifs de fleurs étonnantes et les bosquets d'arbres gigantesques se succèdent comme dans un rêve. Chaque fois que je m'y promène, je sens mon âme s'envoler vers le ciel. L'empereur est comme toujours plein de gentillesse et de courtoisie, et il continue à partager avec nous son savoir. Il nous a récité des poésies écrites par un de ses ancêtres, un tlatoani du nom de Nezahualcoyotl, le « coyote affamé ». Je ne suis qu'une ignorante qui ne connaît rien à la poésie, mais j'ai retenu celle-ci, qui va droit à mon cœur :

J'aime le chant du zenzontle,
l'oiseau aux quatre cents voix

J'adore la couleur du jade
Et le parfum entêtant des fleurs,

Mais plus que tout j'aime mon frère : l'homme.

Nezahualcoyotl, nous a expliqué Moctezuma, adorait un dieu unique, *Tloque in Nahuaque*, ce qui signifie le « maître du proche et du lointain ». En entendant ces mots, Juan a bondi et s'est écrié : « Votre roi poète, c'est le Christ qui l'a inspiré ! Vous voyez bien, Sire, nous n'avons pas les mêmes mots, mais nous avons la même religion ! Nous sommes frères ! » Sa joie était si intense et si fraîche que nous nous sommes tous embrassés en riant. Juan s'est mis à chanter et nous a entraînés dans une danse de son pays, une sarabande au rythme joyeux, pour le plus grand plaisir d'Oveja. Les jardiniers ont dû être bien surpris de voir leur empereur sautiller et frapper dans ses mains comme un ivrogne... Quel bel après-midi ! Comme je voudrais que tous les jours ressemblent à celui-ci !

Mexico-Tenochtitlán, le 15 février 1520

Le temps passe lentement dans la capitale, comme s'il s'était arrêté, comme si les Espagnols avaient toujours été là. Mais le calme n'est que de surface. Lorsque j'écoute les domestiques et les esclaves, j'entends souvent des menaces et des insultes contre les étrangers qui ont osé emprisonner l'empereur. Dans les cours du palais, j'entends aussi chuchoter que les Mexicas vont bientôt se donner un nouveau souverain, puisque Moctezuma s'est vendu aux Espagnols et qu'il n'est plus capable de gouverner. Quand j'en ai parlé à don Hernán, il m'a répondu que ses espions l'avaient prévenu. Il sait que des nobles mexicas sont en train de conspirer contre lui. Mais, affirme-t-il, tant que Moctezuma est avec nous, il ne peut rien nous arriver.

Mexico-Tenochtitlán, le 12 mars 1520

Le capitaine m'a installée dans un nouvel appartement, tout près du sien, et il l'a fait meubler avec des choses très belles qui viennent d'Espagne : des tentures qui représentent des animaux de son pays, de grands bougeoirs en fer, et un immense miroir dans lequel je me vois entière ! Hier soir, j'ai invité Oveja, Juan et Bernal à venir découvrir ma nouvelle demeure. Nous avons passé une joyeuse soirée, à parler tantôt en nahuatl, tantôt en espagnol. Après le dîner, l'empereur nous a rejoints. Il était seul, vêtu d'une simple cape de sisal[1], tel le dernier de ses sujets, courtois et souriant, comme d'habitude. Mais il a maigri, son visage a la même couleur que les cierges des chrétiens. Ses yeux sont creusés de tristesse et ses lèvres sont déformées par les cicatrices des multiples aiguilles d'or.

Il m'a assuré qu'il était fort bien traité, que les Espagnols ne lui manquaient jamais de respect et qu'il vivait exactement comme avant. Mais j'ai ressenti une peine immense, car je sais tous les efforts qu'il fait pour cacher son tourment. Avant de partir, j'ai dû lui jurer de prendre soin de Catalina et de la petite Tecuichpo. Sainte Vierge Tonantzin ! Il a parlé comme un homme qui va mourir...

---

1. Sisal : plante qu'on trouve au Mexique et qui sert à la fabrication de tissus bon marché.

Mexico-Tenochtitlán, le 13 mars 1520

Oveja et Juan sont amoureux ! Ils ne se quittent plus. Oveja est métamorphosée, ses yeux brillent et elle parle espagnol presque aussi bien que moi ! Juan aussi a beaucoup changé. Il passe beaucoup de temps avec l'empereur. Le capitaine l'avait choisi pour apprendre à l'empereur tout ce que Sa Majesté aurait besoin de savoir sur l'Espagne, son Dieu et son roi. Pourtant, on dirait que c'est l'inverse qui se passe : tout à l'heure, quand Juan est venu me saluer, j'ai aperçu, derrière la masse de ses beaux cheveux bouclés, une aiguille en or qui traversait son oreille de part en part. Ce qu'il fait est follement dangereux. Si un Espagnol remarque qu'il pratique l'autosacrifice, il risque d'être brûlé comme un hérétique. Il a ri de mes craintes. Je l'envie. On dirait que rien ne peut entamer sa joie de vivre et sa confiance en l'avenir.

Mexico-Tenochtitlán, le 14 mars 1520

Enfin, mon seigneur est venu me voir ! Hier soir, il s'est fait annoncer, alors qu'Oveja et moi, nous nous entraînions à chanter des chansons espagnoles.

Don Hernán a chanté avec nous ! C'est drôle comme il peut être charmant et joyeux, parfois. Puis il a demandé à Oveja de sortir, m'a serrée dans ses bras et a caressé mes cheveux. Comme je ne réagissais pas, il m'a demandé avec un sourire si j'étais jalouse de sa nouvelle concubine. Je lui ai répondu que non, mais que tous les jours je priais Notre Mère Tonantzin pour qu'elle libère l'empereur, qui est un grand souverain. Et j'ai ajouté :

– Est-ce que tu traites toujours aussi bien ceux qui te sont dévoués ?

Sans cesser de me regarder dans les yeux ni de caresser mes cheveux, le capitaine a murmuré :

– Je prendrai soin de lui, comme de toi, Marina. Tu m'as manqué…

Alors, une digue a cédé en moi, les larmes ont jailli de mon cœur, car je savais qu'il disait vrai.

Mexico-Tenochtitlán, le 16 mars 1520

Hier, pour le premier anniversaire de mon baptême, le capitaine a organisé une fête. Je crois que c'était surtout une occasion de montrer que ma disgrâce était terminée, et que j'avais repris ma place à ses côtés. Après la messe, nous avons chanté et dansé des danses espagnoles : la moresca, la pavane, la chaconne... comme Juan nous l'a appris. Mais lorsque Oveja a commencé à entonner des chants de son pays, les soldats espagnols se sont bouché les oreilles. Juan s'est mis en colère ; il a failli se battre avec l'un d'eux, qui avait craché sur Oveja. Parfois, Juan me fait peur. Il est si entier, si fougueux...

Mexico-Tenochtitlán, le 17 mars 1520

J'ai décidé de me rendre chaque matin au marché de Tlatelolco. Pas seulement pour acheter ce dont j'ai besoin, ou pour me remplir les yeux de toutes les belles choses qu'on y trouve. J'y vais aussi pour écouter, pour voir, pour sentir le pouls du Monde Unique. Car c'est là que bat le cœur de la capitale, le cœur de l'Empire. J'écoute ce qui disent les gens, comment ils parlent des Espagnols, ce qu'ils pensent de leur empereur. Et chaque jour la pulsation est différente. Ce matin, le marché était plein de murmures, de rumeurs et de haine. Les gens d'ici disent de plus en plus haut et fort qu'il est temps pour les Espagnols de repartir.

Mexico-Tenochtitlán, le 20 mars 1520

Une caravane venue de Vera Cruz est arrivée au palais, lourdement chargée avec des marchandises en provenance d'Espagne. Quelle merveille chaque fois de découvrir des choses nouvelles, inconnues, étranges ! Cette fois-ci, il y avait beaucoup de ferrures, des soufflets énormes, des outils en fer, et des tissus immenses et lourds. Bernal m'a expliqué que les Espagnols avaient besoin de ces matériaux pour construire deux bateaux à leur manière, afin de pouvoir naviguer sur le lac. L'empereur, lorsqu'il a appris ce que préparaient les chrétiens, a voulu visiter le chantier. Il est demeuré, comme moi, fasciné par le travail du forgeron. Je l'ai entendu murmurer, avec une infinie tristesse, que Notre Mère la Terre n'avait pas voulu nous donner du minerai de fer, sans quoi nous aurions été invincibles. Elle a préféré nous donner l'or, qui exerce sur les Espagnols la plus exécrable des fascinations...

Mexico-Tenochtitlán, le 22 mars 1520

Ce soir, le capitaine nous a retenus un long moment, Juan et moi, pour nous exposer ses craintes.

Il nous a chargés de surveiller de près les visiteurs qui affluent chaque jour devant l'empereur. Il est certain, à présent, que des gens de la famille de l'empereur préparent une révolte, peut-être même à l'intérieur du palais. Nous avons fait de notre mieux pour le rassurer. Même s'il est vrai que certains courtisans pressent l'empereur de donner le signal de la rébellion, Moctezuma répond invariablement que les Mexicas doivent accepter leur sort, puisque le Dieu des chrétiens en a voulu ainsi et que les dieux mexicas lui ont ordonné de céder la place aux conquérants. Tecuichpo, toujours aussi froide, assistait à l'entretien. Elle baissait les yeux, mais j'ai deviné ce qu'elle pensait. Je sais qu'elle hait les Espagnols et qu'elle voudrait les voir sur la pierre de sacrifice.

Mexico-Tenochtitlán, le 30 mars 1520

J'ai l'impression de vivre sous le couvercle d'une marmite qui va bientôt exploser. Aujourd'hui, l'empereur, après avoir longuement supplié le capitaine, a obtenu la permission de sortir du palais pour aller honorer les dieux dans le Grand Temple. Il a juré de ne rien tenter pour s'enfuir et l'a assuré qu'aucun sacrifice humain ne serait célébré. Mais Bernal, qui a accompagné le souverain en compagnie d'autres officiers espagnols, m'a raconté que lorsqu'ils sont arrivés au Grand Temple quatre hommes avaient été sacrifiés la veille au soir, en prévision de la visite impériale.

Les Espagnols étaient furieux, mais ils n'ont rien dit. D'après Bernal, ils sont obligés de fermer les yeux, car ils savent que la ville et ses environs sont au bord de l'insurrection.

Mexico-Tenochtitlán, le 11 avril 1520

Aujourd'hui, l'empereur a offert à don Hernán la plus belle des preuves de sa loyauté. Il a attiré par la ruse le chef de la conspiration, un de ses neveux, prince de la ville de Texcoco, et l'a livré aux Espagnols. Le capitaine était si ému qu'il s'est incliné jusqu'à terre et a proposé de lui rendre sa liberté. Mais l'empereur a refusé, expliquant que les dieux lui ont demandé de rester auprès des Espagnols. Pendant qu'il parlait, Tecuichpo, toute menue et droite à côté de son père, faisait d'immenses efforts pour ne pas laisser couler ses larmes. Comme elle est belle et fière, cette petite princesse mexica qui refuse de s'incliner devant nous !

Mexico-Tenochtitlán, le 22 avril 1520

Les bateaux des Espagnols sont enfin prêts, et cet après-midi, comme le veut la coutume, Cortés les a fait baptiser. L'un s'appelle *Marina*, en mon honneur, et l'autre *Catalina*, en l'honneur de la fille de l'empereur. Ensuite, nous sommes allés chasser sur une île qui est une réserve impériale et dans laquelle, normalement, personne n'a le droit de pénétrer. Il faisait frais pendant la traversée ; le vent soulevait l'eau du lac, si bien que les bateaux espagnols semblaient voler sur l'eau et laissaient loin derrière eux les pirogues à rames. L'empereur est monté à bord avec le capitaine et il a été très impressionné par l'habileté des marins à manœuvrer les voiles. Nous avons chassé quantité de chevreuils, de lièvres et de lapins. Avant de quitter l'île, Cortés a demandé aux artilleurs à bord du bateau de faire donner le canon. C'était la première fois que l'empereur assistait à ce spectacle, et il en a été bouleversé. Selon moi, plus que jamais, il a peur de ce qui pourrait arriver si nos peuples devaient se combattre...

Cortés a accordé aux Mexicas le droit de célébrer Toxcatl, la plus grande fête de l'année, celle qui honore le dieu seigneur de la guerre Huitzilopochtli et qui doit avoir lieu d'ici quelques jours. Les Mexicas sont fous de joie, et ce matin le marché de Tlatelolco résonnait comme une volière. Bernal, qui m'accompagnait, m'a demandé pourquoi les gens se jetaient sur les vendeurs de copal et de plumes. Je lui ai expliqué que le copal est brûlé pour honorer le dieu, dont les statues sont couvertes de plumes car il est né d'une plume qui s'est déposée dans le ventre de Tonantzin, Notre Mère la Terre. Il a ri, en traitant mes histoires de superstitions ridicules :

– Comment le dieu de la guerre pourrait-il naître d'une plume ?

Je me suis fâchée et j'ai rétorqué :

– Comment un dieu peut-il naître d'une femme qui n'a pas connu d'homme ? Comment un dieu peut-il être misérable au point de naître dans une étable, au milieu des animaux ?

Nous nous sommes quittés un peu vivement. Je préfère parler de religion avec Juan plutôt qu'avec

Bernal. Au moins, avec Juan, je ne suis pas obligée de subir le mépris et la dérision.

Mexico-Tenochtitlán, le 8 mai 1520

Comme tous les matins, j'ai accompagné le capitaine lorsqu'il est allé saluer l'empereur dans ses appartements. Moctezuma nous a montré les messages peints sur des toiles qu'il a reçus de la côte. Ses espions l'informent que dix-neuf bateaux, quatre-vingts chevaux et mille quatre cents soldats sont arrivés de Cuba. L'empereur a aussi reçu un autre message : une lettre du gouverneur de Cuba qui est arrivée avec la flotte espagnole. L'empereur a demandé à Cortés de la lui lire. Le capitaine l'a parcourue en silence, son visage est devenu gris, et il m'a tendu la lettre, sans un mot, pour que ce soit moi qui la lise et la traduise à Moctezuma. Dans ce message, le gouverneur informe le souverain des Mexicas que Cortés est un traître qui a conquis le pays sans autorisation de son roi. Il ajoute que le roi Charles est horrifié qu'on ait emprisonné son frère, l'empereur des Mexicas. Les officiers espagnols, en entendant ces accusations, ont laissé échapper des jurons et des protestations. Heureusement, l'empereur a assuré le capitaine de sa confiance et de sa loyauté.

Plus tard, un peu troublée par ce que je venais de lire, j'ai questionné Bernal. Il m'a affirmé que le capitaine n'avait trahi personne, même si, certes, il avait un peu exagéré et était allé un peu plus loin que la tâche qui lui avait été confiée au départ. Il avait en effet été envoyé en mission d'exploration, et non de conquête. Mais il faisait parvenir à son roi tout l'or qui lui était dû. La véritable explication, c'était que le gouverneur de Cuba était jaloux de ses succès. Bernal a ajouté : « À présent que nous avons payé le coût de la conquête, les charognes vont se jeter sur la proie. »

Je lui ai fait remarquer que l'Empire mexica n'était pas encore mort et que, pour l'instant, les Espagnols auraient intérêt à s'unir plutôt qu'à se déchirer…

Mexico-Tenochtitlán, le 10 mai 1520

Le capitaine a quitté la ville pour aller combattre les troupes de ce gouverneur qui a apparemment décidé de prendre sa place. Tout à l'heure, depuis la terrasse, j'ai regardé son armée franchir les portes

avec les chevaux, les canons, les arbalétriers, les fusi-
liers… Il reste à peine quatre-vingts soldats espagnols
pour défendre notre palais. Ce qui veut dire que si
les Mexicas décident de nous attaquer, nous n'avons
aucune chance… Je me sens perdue et vulnérable
sans mon capitaine, et je prie la Vierge pour qu'il
revienne vite.

Bernal est parti avec lui, ainsi que Juan, ce qui a
plongé Oveja dans une immense tristesse. Sans son
amoureux, elle ne veut plus ni chanter ni danser…

Pour le remplacer pendant son absence, don
Hernán a choisi comme commandant Pedro de
Alvarado, celui qui est très grand, très roux, et tou-
jours en train de plaisanter. Les gens d'ici l'appellent
« Tonatiuh », ce qui veut dire « soleil », et ils sont
en admiration devant lui et son énorme rire.

Le capitaine m'a laissé le choix de rester ou de
venir avec lui. Il m'a dit qu'il aimerait que je le suive
dans son expédition sur la côte, non pas comme
interprète, mais parce qu'il apprécie ma compagnie.
Bien que cela m'ait fait plaisir, j'ai choisi de rester
à Mexico-Tenochtitlán. Il me semble que ma place
est à côté de l'empereur, qui a l'air chaque jour plus
triste et plus abattu. Le capitaine a approuvé mon
choix. Il nous donnera des nouvelles dès que possible.

Demain a lieu la grande fête de Huitzilopochtli, et la fièvre du seigneur de la guerre s'est abattue sur la ville. Depuis le Grand Temple, les tambours résonnent nuit et jour, toujours plus graves, toujours plus inquiétants. À chaque coin de rue, les statues recouvertes de plumes sont prêtes à être portées dans le temple, tandis que les pirogues chargées de nourriture et de fleurs sillonnent la lagune. Dans chaque maison, le copal brûle sans interruption. Des guirlandes de papier sacré se croisent et s'entrecroisent au-dessus des canaux. Des farandoles de chanteurs et de danseurs serpentent dans les rues et rappellent qu'il faut faire pénitence. Ce spectacle est merveilleux autant qu'effrayant, car chacun ici se pose la même question : est-ce que des sacrifices humains auront lieu ? Hier, j'ai traduit un entretien entre Moctezuma et le commandant Alvarado. L'empereur a longuement expliqué qu'une fête sans sacrifices humains serait un blasphème à Huitzilopochtli et ferait l'effet d'une gifle aux Mexicas, mais Alvarado n'a rien voulu entendre. Il s'est fâché, a traité le grand souverain de barbare et de cannibale. Je n'ai pas réussi à traduire ces mots insultants. Moctezuma n'a pas besoin de les entendre. Il supporte assez de malheurs comme ça. Si seulement don Hernán était là ! Jamais il n'oserait parler à l'empereur sur ce ton. Pedro de Alvarado est trop brutal et impulsif.

J'ai peur de ce qui va arriver demain…

Mexico-Tenochtitlán, le 15 mai 1520

Sainte Vierge Tonantzin, protégez-nous ! Protégez les Espagnols qui sont en train de commettre une folie ! Protégez les Mexicas qui marchent vers leur destruction !

Je n'ai pas voulu aller au temple pour célébrer la fête. Mon cœur était lourd et triste, comme s'il savait ce qui allait arriver. Mais depuis ma terrasse, j'ai suivi toute la cérémonie. J'ai vu la foule des guerriers croulant sous les bijoux et des centaines de femmes parées de huipils éclatants danser pendant des heures. Puis les prêtres du seigneur de la guerre, habillés tout de noir, ont fait irruption dans la cour sacrée et obligé les danseurs à reculer avec leurs grands bâtons ornés d'une crête blanche. Les fumées de copal montaient droit dans le ciel ; je sentais leur odeur âcre envahir toute la ville. La danse rythmée par les flûtes et les tambours s'est poursuivie plus loin. J'avais l'impression de voir un serpent humain onduler, non seulement dans l'enceinte du Grand Temple, mais aussi dans chaque ruelle, sur chaque place, comme si tout le peuple mexica était en train de danser, uni dans un même rythme, réunissant dans son corps et dans son cœur le Ciel et la Terre. Puis j'ai entendu le sombre martellement du teponaztli, le tambour de sacrifice, et ma gorge s'est serrée d'angoisse. J'ai vu la première victime au visage peint, le corps couvert de bandelettes de papier sacré, monter les marches de la pyramide et une frayeur mortelle m'a saisie. J'ai entendu le souffle de la Vierge Tonantzin, comme une voix à l'intérieur de moi qui disait : « Rouge, le sang coule, l'eau va devenir sang, les larmes, les canaux, la lagune, le ciel vont devenir sang… »

J'étais si effrayée que j'ai quitté la terrasse pour me réfugier dans le jardin, si beau et si calme. Mais les images de Cholula hantent mes pensées et les bruits de la ville me parviennent à travers les épaisses murailles. Voilà un moment que le teponaztli, les flûtes et les chants se sont tus. À présent, les seuls bruits que j'entends sont des cris et des pleurs, des tirs d'arquebuse et des cavalcades dans les ruelles. La nuit est presque tombée, je n'ose pas sortir du jardin. J'ai peur de ne trouver que mort et désolation partout ailleurs.

Mexico-Tenochtitlán, le 16 mai 1520

Une foule hurlante, furieuse, cerne le palais. Les Espagnols comptent leurs forces et leurs réserves de nourriture. La nuit a été terrible, lourde, pleine de pleurs et de hurlements. Les vapeurs de copal flottent encore. Elles se mélangent à l'odeur de la mort et de la poudre, que le vent du petit matin n'a pas réussi à chasser.

Je suis allée voir l'empereur à la première heure du jour, sans attendre. Je l'ai trouvé prostré, les lèvres tellement percées qu'il arrivait à peine à parler. Je l'ai supplié de me raconter ce qu'il avait vu, je lui ai arraché les mots, que j'ai écrits au fur et à mesure qu'il parlait :

« Les chrétiens ont commencé par fermer une à une les issues de l'enceinte sacrée : d'abord la porte de l'Aigle, puis la porte de la Pointe du Roseau, puis la porte du Miroir à Serpents. Ils se sont attaqués à ceux qui jouaient du tambour et de la flûte et leur ont coupé les mains. Ils ont frappé les vieillards qui agitaient leurs grelots en psalmodiant, ils les ont bousculés et les ont giflés à tour de bras. Ils ont sorti leurs épées et se sont jetés sur ceux qui dansaient et qui ne portaient, pour se protéger, que des manteaux brodés, des bijoux aux lèvres, des panaches de plumes de héron et des amulettes en pattes de cerf. Ceux qui dansaient, ceux qui chantaient, ceux qui portaient de l'eau et des fleurs furent tués et leurs bijoux en or leur furent arrachés. Ceux qui voulaient s'échapper couraient dans tous les sens, les blessés s'effondraient les uns sur les autres, les vivants se prenaient les pieds dans les morts et continuaient à courir à quatre pattes. Mes ministres, mes illustres guerriers et mes grands prêtres ont ainsi péri, égorgés comme des animaux, sans pouvoir discerner le visage de leur meurtrier. Voilà ce que j'ai vu en ce jour de Toxcatl, consacré au seigneur du soleil et de la guerre Huitzilopochtli. »

Ces mots de l'empereur, je veux les envoyer au roi des Espagnols, celui que mon capitaine tient en si grand respect et à qui il écrit si souvent, afin qu'il sache comment ont été traités ses alliés. Je veux qu'il punisse Pedro de Alvarado pour le crime qu'il a commis en ordonnant ce massacre.

Comme il fallait s'y attendre, le massacre de Toxcatl a plongé les Mexicas dans la folie. Jour et nuit, ils font retentir les tambours qui appellent à la guerre. Jour et nuit, nous recevons une pluie de flèches et de pierres. Deux domestiques qui traversaient la cour ont même été gravement blessés, et nous n'osons plus nous promener dans les patios et les jardins sans casque ou armure. Nous sommes terrés comme des rats. Maudits soient le commandant Alvarado et sa stupide colère !

L'empereur a sombré dans une effroyable tristesse depuis la tuerie de Toxcatl. Il ressemble à un vieillard qui a renoncé à vivre. Parfois, j'ai peur qu'il ne perde la raison. Cet après-midi, il a répété, les yeux dans le vide, un nombre incalculable de fois cette vieille poésie :

Nous ne sommes venus que pour dormir
Nous ne sommes venus que pour rêver
Il n'est pas vrai que nous soyons venus vivre ici-bas.

Même les cajoleries de Tecuichpo ne parviennent plus à lui arracher une lueur dans les yeux. L'attitude de la jeune princesse à mon égard a beaucoup changé. Elle s'est rapprochée de moi depuis qu'elle a vu combien je m'inquiète pour la santé de son père. Voilà au moins une bonne nouvelle pour atténuer ma tristesse ! Nous passons nos journées dans les appartements de l'empereur. Pendant que Moctezuma marmonne des prières, elle m'apprend à lire les vieux livres peints qui racontent notre histoire. Nous arrivons presque à oublier le reste du monde, comme si nous étions loin de la foule qui hurle sa fureur, loin des Espagnols qui tournent en rond et astiquent leurs armes.

Mexico-Tenochtitlán, le 2 juin 1520

Il est arrivé ce que nous redoutions tous : nous sommes encerclés. Les Mexicas, même les femmes, les enfants et les vieillards se rassemblent sous nos terrasses depuis l'aube. Dans l'après-midi, Alvarado a fait donner un coup de canon, des gens se sont écroulés, et la foule s'est dispersée en poussant des cris de terreur. Mais quelques heures après, ils étaient à nouveau aussi nombreux à hurler sous nos terrasses.

Depuis hier soir, plus rien n'arrive de l'extérieur

et nous ne pouvons plus sortir. Par chance, un terrassier a trouvé une source d'eau claire dans une des cours du palais. Au moins, nous ne mourrons pas de soif. Oveja m'a dit que les soldats parlent de tuer les oiseaux précieux des volières pour les manger. Il ne faut pas que cette nouvelle parvienne aux oreilles de l'empereur, il aime tellement ses oiseaux ! Je prie chaque jour la Vierge pour que don Hernán nous envoie un message. S'il ne revient pas très vite, je sens que nous allons tous mourir dans ce palais.

Mexico-Tenochtitlán, le 3 juin 1520

Oh, Sainte Mère Tonantzin infiniment gracieuse qui as entendu mes prières ! Enfin une raison de se réjouir sous le ciel étouffant de Tenochtitlán : le capitaine a vaincu ses ennemis à Vera Cruz, et il sera bientôt là. Lorsque nous avons appris la nouvelle, nous nous sommes embrassés en poussant des cris de joie. Tous les soldats avaient les larmes aux yeux. Maintenant qu'ils savent que leur chef va revenir, ils n'ont plus peur de mourir. Le messager de Vera Cruz avait un petit mot pour moi : « Ma chère Marina, j'espère que tu vas bien. J'ai appris ce qui s'est passé en mon absence, la folie d'Alvarado et votre triste situation. Je suis très inquiet pour vous. Prends bien soin de toi et de l'empereur. Je te serre contre mon cœur, ma douce amie. » Ce billet m'a remplie de joie ! C'est la première fois que je reçois une lettre à mon nom, et j'ai relu cent fois les mots de mon capitaine, qui me semblent doux comme la brise d'été sur le lac.

Mexico-Tenochtitlán, le 10 juin 1520

À chaque instant, je guette le retour de don Hernán. Je suis folle d'impatience. D'après ce que me dit l'empereur, il mettra longtemps à revenir, car il fait étape dans toutes les villes pour s'assurer de la fidélité de ses alliés. Ne sait-il pas combien nous avons besoin de lui ? Croit-il que nous pourrons tenir longtemps, encerclés par la mer hurlante des Mexicas ? J'ai l'impression que mes oreilles sont remplies par le brouhaha et les cris de colère de la foule qui défile autour du palais en nous insultant et en nous maudissant.

Mexico-Tenochtitlán, le 24 juin 1520

Enfin ! Mon capitaine est revenu. Ce matin, nous nous sommes massés sur les terrasses pour assister à son arrivée. Il est entré dans la ville vers midi, mais à part nous, qui criions notre plaisir, la cité était silencieuse. Son cortège a traversé les places vides et les marchés déserts dans un silence de plomb. Je ne l'ai pas encore vu, mais Bernal vient de me raconter leur voyage et leur victoire à Vera Cruz. Il m'a dit aussi que le capitaine était furieux contre Alvarado et qu'il avait déclaré que le massacre du temple était la pire folie qu'on pouvait commettre. J'en ai eu des larmes de joie. Il faut que je prie la Vierge Tonantzin, qui m'a donné un seigneur aussi sage.

Mexico-Tenochtitlán, le 25 juin 1520

Mon capitaine n'est toujours pas venu me rendre visite. Il a trop de soucis. Même si les gens de Mexico-Tenochtitlán l'admirent, le craignent et savent qu'il n'est pas responsable du massacre, son retour n'a pas apaisé leur colère. Les rumeurs de soulèvement sont de plus en plus insistantes. On dit que dans chaque maison il y a des guerriers prêts à nous attaquer. Des pierres et des pieux ont recommencé à pleuvoir sur nous. Une torche enflammée a provoqué un incendie dans le quartier des fantassins.

Mexico-Tenochtitlán, le 27 juin 1520

Ce n'est pas encore la guerre, mais elle approche. Aujourd'hui, les soldats ont tenté une sortie. Ils étaient nombreux, bien armés, et leurs chevaux caparaçonnés faisaient peur à voir. Mais dès qu'ils sont arrivés sur la grand-place, ils ont été cernés par une nuée de guerriers. Ils ont été obligés de rebrousser chemin, sans même pouvoir ramasser leurs morts. J'ai soigné Bernal, qui a pris une flèche dans la jambe. Il m'a raconté que, même s'il avait fait la guerre contre les Italiens, contre les Maures, contre les Français et bien d'autres peuples lointains dont j'ai oublié les noms, jamais il n'avait vu d'armée aussi terrifiante que ces guerriers mexicas qui criaient, sifflaient, tapaient sur leurs tambours, soufflaient dans leurs trompettes et hurlaient qu'ils allaient leur arracher le cœur.

Nous ne pouvons ni rester ni nous enfuir. Tous les

ponts sont coupés, si bien que, même si nous arrivions à avancer à travers la ville, nous ne pourrions nous échapper du lac qui entoure la capitale. Il paraît que des palissades ont été dressées dans les rues pour empêcher les chevaux de passer.

Mexico-Tenochtitlán, le 29 juin 1520

L'empereur est mort… Pendant que j'écris ces mots horribles, mes larmes coulent. Tecuichpo est blottie à mes pieds, elle pleure et tremble sans pouvoir s'arrêter.

Depuis hier, le capitaine tentait de convaincre Moctezuma d'intervenir. Je suis leur interprète depuis de longs mois, et jamais je ne les ai vus aussi sincères, jamais leurs paroles ne m'ont paru aussi justes, même si elles étaient inconciliables ! Je savais que le capitaine disait vrai lorsqu'il suppliait Moctezuma de parler, parce qu'il est le Tlatoani et que seule sa parole pouvait empêcher le bain de sang. Mais je savais aussi que Moctezuma était honnête lorsqu'il répondait qu'il n'obtiendrait rien, que son peuple s'était choisi un autre roi et que nous allions tous mourir dans ce palais. Pourtant, il a consenti à intervenir, parce qu'il voulait aller au bout du chemin que les dieux lui avaient ordonné de suivre.

L'empereur est mort tout à l'heure, tué par son propre peuple ! J'ai vu ses derniers instants, j'étais derrière lui quand une pierre a heurté sa tête, quand une flèche a transpercé sa poitrine. Il est mort en essayant de nous sauver.

Il est monté sur la terrasse et de là, protégé par des arbalétriers, il a fait face à ses sujets. La foule l'a reconnu et s'est tue. Les jets de pierres et de flèches ont cessé. Les arbalétriers se sont écartés. Moctezuma a levé ses bras amaigris, il a salué son peuple. Mais à peine avait-il eu le temps de dire une phrase qu'une insulte s'est élevée, une pierre, puis une autre, une flèche et une autre ont jailli, sans que les soldats espagnols puissent intervenir.

Lorsque l'empereur s'est effondré, les cris et les injures ont repris de plus belle. À présent, on a rendu le corps à sa famille et ce sont les tambours de deuil qui résonnent dans la nuit dans la vallée de l'Anáhuac. Que Dieu, que tous les dieux, quels qu'ils soient, lui ouvrent les portes de leurs royaumes !

Mexico-Tenochtitlán, le 30 juin 1520

La plumassière qui a tissé la cape pour Juan m'a rendu visite ce soir. Elle m'a tendu une couverture sombre, m'a dit de m'y envelopper et de la suivre. Si je restais là, m'a-t-elle dit, j'allais mourir, comme tous ceux qui étaient à l'intérieur de ce palais. Je me suis rappelé la vieille de Cholula, et je lui ai demandé pourquoi elle voulait me sauver.

« C'est que j'avais une fille, belle et sage comme toi. Les Tlaxcaltèques l'ont capturée et l'ont sacrifiée dans un de leurs temples. Si tu viens avec moi, tu seras comme ma fille. Fille d'une esclave, ce n'est pas grand-chose. Mais si tu ne viens pas, les Mexicas te captureront, et tu seras sacrifiée avec les Espagnols. »

Je l'ai serrée contre moi, avec autant de tendresse que de tristesse. Elle avait besoin d'une fille, tout comme moi j'avais besoin d'une mère… Mais il était trop tard. Je lui ai conseillé de rentrer chez elle et je lui ai donné la plus belle de mes bagues. Je ne veux pas partir. Même si je dois affronter la mort. Je ne suis plus d'ici, même si je ne suis pas Espagnole. Ma vie, mon cœur, mon souffle appartiennent à mon seigneur Hernán Cortés.

C'est certainement la dernière fois que j'écris. À moins d'un miracle, nous serons tous morts d'ici peu. Il fait nuit noire, il bruine, et la lune est invisible. Mais il faudrait que les ténèbres soient muettes, aveugles et sourdes pour que le plan du capitaine réussisse. Il a décidé de s'enfuir cette nuit, persuadé par son astrologue que si nous restons encore, demain sera un jour sanglant.

Toute la journée, les soldats se sont préparés à la retraite. Ils ont même construit un pont mobile, que soixante hommes vont porter jusqu'au lac. Le soir venu, le capitaine a partagé les énormes richesses amassées : l'or, les vases, les bijoux, les pierres précieuses. En présence du notaire, qui écrivait chacun de ses mots, il a prélevé ce qui revient au roi Charles, il l'a fait charger sur des juments, ensuite il a dit aux soldats qu'ils pouvaient se servir, qu'il ne savait pas quoi faire du reste. Les hommes se sont jetés sur le trésor, tels des chiens affamés sur une proie. Ils ont rempli leurs chausses, leurs sacs, leurs selles, et même leur casque, avec de l'or et des pierres précieuses. Certains sont si lourdement chargés qu'ils peuvent à peine marcher. Bernal dit qu'ils sont fous. Comment pourront-ils fuir tout à l'heure ?

Dans mon sac à moi, il n'y a presque rien. Quelques huipils, le tableau de la Vierge, et bientôt mon cher journal, que j'enfermerai dans son écritoire dès que j'aurai fini d'écrire.

Le tambour du Grand Temple vient de marquer le milieu de la nuit. J'attends Oveja et Juan, qui doivent me rejoindre avec leurs bagages. Dans la cour, des nappes de brume flottent entre les torches. Les soldats vont et viennent, calent les canons et nettoient les arbalètes en silence. Les sabots des chevaux ont été entourés de linges, et les fantassins ont mis des bandes de coton autour de leur armure pour ne pas faire de bruit. Mais ces précautions me semblent dérisoires. Nous sommes si nombreux à présent. Des centaines et des centaines d'Espagnols, sans compter leurs alliés de Tlaxcala. Comment pourrions-nous sortir de la ville sans être vus ou entendus ?

Don Hernán m'a chargée de veiller sur Catalina et Tecuichpo. Catalina a peur, elle tremble et pleure depuis qu'elle sait que nous allons tenter une sortie. Tout le contraire de sa sœur, qui attend stoïquement l'heure du départ.

Pendant que j'écrivais ces mots, un épais brouillard est monté de la lagune, transformant la foule des guerriers en une armée de fantômes. Dans la cour, l'armée tout entière s'est agenouillée pour louer Dieu de ce miracle et remercier Sa Sainte Mère Tonantzin qui nous protège malgré nos péchés.

Un murmure monte de la cour. L'ordre a été donné de partir. Il est l'heure de te dire adieu, mon cher journal, de dire adieu à cette chambre où j'ai été une grande dame, et de me préparer à affronter le brouillard et les ténèbres.

Troisième partie

———

LA FIN DU MONDE UNIQUE

Sur le rivage de Tacuba, 2 juillet 1520

Je suis en vie ! Oh, Sainte Tonantzin, louée sois-tu ! Je vois le soleil qui traverse la haie de roseaux derrière laquelle nous nous sommes réfugiées. Je sens le vent qui soulève les bords de mon huipil déchiré, taché de sang et de boue. J'entends le cœur de la lagune qui bat à quelques pas de moi. Je suis en vie alors que je me suis sentie mourir...

Je nous revois glissant le long des murs, retenant notre souffle, à peine protégés par le brouillard, la nuit et la pluie. Nous avançons à pas pressés et silencieux, le cœur battant, et nous sommes presque arrivés au bord du lac. Juste devant moi, je devine les soldats qui s'activent pour installer le pont mobile qui doit nous permettre de sortir de la ville, de rejoindre la terre ferme, où nous serons en sécurité. Ils sont agiles, silencieux. Ils savent que notre survie à tous repose sur ces quelques poutres et planches. Leurs marteaux sont entourés de chiffons. Ils avancent sur le lac, planche après planche, dans les ténèbres, sans faire le moindre bruit. Nous grelottons sur la rive, et l'attente nous déchire le ventre. Au moment où ils allument la lanterne pour nous prévenir qu'ils ont atteint l'autre bord et que le pont est prêt, un cri brise le silence et nous fige sur place.

Aussitôt, les tambours d'alerte retentissent et la nuit est remplie des hurlements des guerriers mexicas. Je suis tout près du pont mobile, j'aperçois autour de moi les fantassins, les cavaliers, les alliés tlaxcaltèques qui se pressent et s'écrasent les uns les autres pour passer les premiers, je sens leur terreur. Je vois les chevaux qui glissent sur le bois mouillé, j'entends leurs hennissements désespérés tandis qu'ils tombent dans la lagune. Le pont commence à bouger, à s'enfoncer, Oveja me serre la main, je vois tomber des soldats tellement chargés d'or qu'ils coulent à pic. Les pieux, les pierres, les flèches, les hurlements, les trompes, les tambours… le vacarme de la guerre, tout à coup, me transperce. Ma tête tourne, je suis en train de glisser moi aussi dans la lagune, je sens l'eau froide qui mouille mes pieds et mes jambes. Je sais que je vais mourir et j'ai peur, très peur. Alors, je pense à la Vierge Tonantzin, je la supplie de me prendre dans ses bras. Elle m'enlace et me tire doucement vers la surface. Elle me murmure à l'oreille : « Vis ! »

Ensuite, je ne me souviens plus très bien. Je crois qu'Oveja m'a attrapée par les cheveux pour m'entraîner vers les marécages de Tacuba. Accroupies dans la vase, nous avons marché à l'aveuglette, jusqu'au petit jour.

À présent, nous sommes sur la terre ferme, seules toutes les deux, sur une petite plage quelque part aux alentours de Tacuba. Oveja dort à côté de moi, après avoir beaucoup pleuré. Elle continue à gémir dans son sommeil. Juan est mort, tué non pas par une pierre ou une flèche, mais écrasé par un cavalier espagnol qui l'a pris pour un guerrier mexica. Juan est mort, tué à cause de la cape de guerrier aigle que lui a offerte sa bien-aimée, la cape qui était censée le rendre invincible...

Tout est si calme et si tranquille à l'endroit où nous nous trouvons que je pourrais croire à un mauvais rêve. Mais au loin, sur la lagune, depuis le cœur du Monde Unique, les tambours de victoire résonnent et ils répètent inlassablement que les dieux ont soif du sang des Espagnols.

Il va falloir que nous partions. Nous ne pouvons

rester cachées ici, à manger des vers de vase et à pleurer. Les Mexicas doivent être en train de battre la campagne dans l'espoir de capturer des rescapés isolés. Et les Espagnols ne s'attarderont pas en territoire mexica. Ils doivent déjà être en route vers Tlaxcala, là où ils sont sûrs de trouver asile. Lorsqu'il fera nuit, je réveillerai Oveja et nous partirons à leur recherche.

En route vers Tlaxcala, le 5 juillet 1520

Après deux jours de recherches et d'angoisse, nous avons fini par rejoindre les nôtres. Bernal et le capitaine vont bien, Bernal est blessé au bras, mais il dit que dans une semaine il n'y paraîtra plus. Catalina est morte durant la fuite. Le capitaine m'a tendrement serrée contre lui quand nous nous sommes retrouvés. Il m'avait crue perdue et me pleurait, comme il pleurait tous les braves et fidèles qui ont péri.

Don Hernán m'a demandé ce qui est arrivé à Tecuichpo, mais je ne lui ai pas dit qu'elle s'était sauvée. J'ai répondu que je ne savais pas, qu'à un moment nous avions été séparées, et qu'ensuite je ne l'avais plus vue.

Les Espagnols sont épuisés, affamés, et ils comptent

leurs morts. Des centaines et des centaines, d'après ce qu'on dit. Des milliers sans doute, si l'on compte nos alliés tlaxcaltèques. Tout à l'heure, nous avons dit une messe de deuil pour ceux dont les corps sont restés dans la lagune. Les larmes coulaient dans la barbe de mon capitaine en même temps qu'il embrassait sa médaille de la Vierge qui ne le quitte jamais.

La messe a été interrompue par les guetteurs. Ils avaient repéré un bataillon de Mexicas armés qui venaient dans notre direction. Nous avons aussitôt repris la route, en position de marche forcée : protégés par les éclaireurs, les femmes et les blessés au centre, entourés par les soldats valides qui ne quittent pas leur armure et leurs armes. Nous allons vers Tlaxcala, chez nos alliés, où nous espérons pouvoir manger, nous soigner et nous reposer. Mais la route est longue, et sur notre chemin les villageois qui ont entendu parler de la victoire des Mexicas rechignent à nous fournir des vivres.

En route vers Tlaxcala, le 7 juillet 1520

Nous marchons toujours la peur au ventre et la bouche sèche. La plupart des villageois nous sont si hostiles que nous sommes obligés de les fuir. L'arrière-garde est sans arrêt attaquée par des bandes de guerriers ennemis. Nous perdons chaque jour des dizaines de soldats, et ceux qui restent sont épuisés et affamés.

Depuis la mort de son beau page, Oveja ne chante plus. C'est à peine si elle parle. Elle marche et dort à côté de moi, comme une ombre insensible. La seule réaction qu'elle manifeste, c'est quand elle croise des cavaliers ou des chevaux. Alors, elle se met à cracher et à siffler comme un serpent. Les Espagnols ont peur d'elle. Ils disent qu'Oveja est une sorcière, un genre de monstre femelle, et qu'il faut la brûler.

En route vers Tlaxcala, le 15 juillet 1520

« Les crétiens son dé démon »

Oveja a disparu cette nuit, sans rien laisser d'autre que ces quelques mots tracés dans mon journal. Juan avait insisté pour qu'elle apprenne à lire et à écrire, et, par amour, elle avait accepté de faire cet effort. Je ne sais pas où elle a pu aller et j'ai peur pour elle.

Le chagrin, la fatigue et la faim me brouillent la vue. Nous avançons comme une bande de chiens errants, sans cesse sur le qui-vive, grattant la terre pour trouver de quoi manger, chapardant des épis de maïs que nous dévorons crus sans nous arrêter de marcher. Parfois, nous marchons la nuit, quand les environs ne sont pas sûrs. Nous approchons de Tlaxcala, pourtant le courage me manque. Il m'arrive d'avoir envie d'abandonner, de ne plus avancer, de glisser dans le néant, comme durant cette nuit terrible où nous avons dû fuir. Les Espagnols l'appellent désormais *noche triste*, la « triste nuit ».

Tlaxcala, le 20 juillet 1520

Enfin, nous sommes arrivés dans mes chères montagnes de Tlaxcala ! Nous avons été accueillis avec des chants et des fleurs, et j'ai vu les soldats espagnols tomber dans les bras des Tlaxcaltèques comme s'ils retrouvaient leur famille ! Nous avons pleuré ensemble ceux qui étaient morts et nous avons ri d'être réunis.

Hier, les caciques de la ville nous ont invités à une réception, et nous avons dû raconter un nombre incalculable de fois notre retraite et notre terrible défaite. Nos alliés semblent désolés et abattus par nos malheurs, mais j'ai surpris aussi quelques rictus de mépris et de déception sur les nobles visages des guerriers qui nous croyaient invincibles. Mon seigneur a dû le percevoir, lui aussi, car il s'est lancé dans un discours plein de feu et de passion. « Pas question de se laisser abattre ! » s'est-il écrié. Il a déclaré qu'il allait accorder un temps de repos aux soldats, qui ont été braves et ont enduré de terribles souffrances. « Mais la guerre n'est pas finie ! Et nous ne sommes pas vaincus ! Nous allons revenir, plus forts et mieux préparés, et nous écraserons ceux qui se dresseront sur notre chemin ! » s'est-il encore exclamé. Les seigneurs de Tlaxcala m'écoutaient attentivement tandis que je traduisais ses paroles. La Vierge sait combien je déteste la guerre. Mais quand je parle au nom de mon capitaine, c'est comme si j'étais habitée par son désir de vengeance. Sa flamme devient ma flamme…

Tout à l'heure, alors que la nuit était déjà profonde, il est venu me trouver dans ma chambre. C'était la première fois que nous étions seuls depuis longtemps. Il m'a remerciée. Il m'a dit qu'il avait senti que j'avais traduit avec les bons mots ce qu'il voulait dire aux caciques de Tlaxcala. Je lui ai demandé pourquoi il ne voulait pas apprendre le nahuatl. « J'aime tant mon interprète que je ne saurais m'en passer… » Voilà ce qu'il m'a répondu, et il avait dans les yeux, oh, Sainte Tonantzin, cette lueur si tendre qui m'enveloppe et me transperce.

Tlaxcala, le 24 juillet 1520

Oveja me manque beaucoup, je suis très inquiète pour elle. Je voudrais que le capitaine envoie des espions à sa recherche, mais Bernal dit que c'est une mauvaise idée. Oveja ne veut sans doute pas revenir, et les espions la ramèneraient de force.

Ce matin, au marché, je suis allée voir un marchand olmèque qui se rend à Mexico-Tenochtitlán avec une caravane de marchandises. Je lui ai donné une bourse pleine de fèves de cacao et je lui en ai promis une autre, aussi pleine, s'il parvenait à me rapporter des nouvelles d'Oveja. Je lui ai fait jurer de garder cette mission secrète.

Tlaxcala, le 15 août 1520

Les Espagnols ont repris des forces et fêtent aujourd'hui le jour de la Vierge. Tlaxcala s'est parée pour la cérémonie, et semble plus accueillante que jamais. Les grands cierges blancs à croix rouge, les offrandes de fleurs et les guirlandes de papier sacré décorent la chapelle en plein air que les Espagnols ont installée pour accueillir les caciques et leurs familles qui vont se convertir.

La messe était très belle. Avec les dames de l'armée, avec les filles des rois et des caciques qui ont été données aux officiers espagnols, nous avons chanté à la fin de la cérémonie. J'avais choisi une complainte à Tonantzin que m'a apprise Tecuichpo. Je l'ai chantée en nahuatl, mais j'ai changé les paroles pour qu'elles racontent l'histoire de la Vierge, dont le fils est mort sur la croix pour sauver les hommes. Les Tlaxcaltèques ont beaucoup aimé ma chanson. Certains ont même pleuré tellement ils étaient émus. Mais certains Espagnols ont été surpris, parfois même choqués, d'entendre notre langue à la messe. J'ai dû me dépêcher d'expliquer ce que nous disions. Le capitaine nous a publiquement félicitées. Il a dit que c'était la plus belle et la plus noble façon de convertir les nouveaux baptisés, et que, lorsque la guerre serait finie, chaque Espagnol devrait apprendre à chanter en nahuatl afin d'instruire les gens sur l'histoire de Jésus Notre-Seigneur. Il a ajouté, en me regardant avec un grand sourire, qu'il serait le premier à le faire.

Je passe mes jours et mes nuits avec lui. Le matin et l'après-midi, nous recevons nos alliés, à qui nous distribuons promesses et cadeaux. Lorsque le soir arrive, il me retient pour que je partage son dîner. Parfois, il invite aussi ses officiers, et la soirée s'écoule à imaginer des plans d'attaque contre Mexico-Tenochtitlán. Je me tais et je les écoute. J'apprends, malgré moi, l'art de la guerre…

Quand les convives partent, don Hernán me demande si je veux bien rester avec lui, partager ses baisers et ses caresses, et nous nous endormons sur la terrasse, sous les étoiles, serrés l'un contre l'autre. Nous avons traversé tant d'épreuves ensemble, nous avons partagé tant de chagrins que nous sommes à présent comme mari et femme…

Tlaxcala, le 26 août 1520

Don Hernán n'est pas venu me voir depuis plusieurs jours. Il s'est enfermé avec son état-major et ne reçoit plus ni visiteurs ni ambassadeurs. Bernal m'a apporté ce matin du papier et de l'encre, dont j'ai toujours peur de manquer. Il m'a confié que le capitaine était très inquiet. Presque tous les officiers parlent de renoncer à la conquête de Mexico-Tenochtitlán et de repartir pour l'île de Cuba. Mon cœur s'est serré. Je sais ce que cela signifierait pour moi. Si les Espagnols battaient en retraite, le capitaine ne me prendrait pas avec lui. Il a sa femme à Cuba, qu'il a épousée selon les lois de Dieu. Il m'abandonnerait sur les rives de la mer, là où il m'a trouvée. Comme ma mère m'a abandonnée au premier marchand maya qu'elle a rencontré. Sauf que ma mère était pauvre, et que Cortés me laissera avec de l'or et des pierres précieuses. Mais les richesses n'empêchent pas les larmes de couler.

J'ai passé la nuit à prier, et au matin j'ai décidé d'aller voir le capitaine pour lui exposer franchement mes craintes. Mais, alors que je m'apprêtais à sortir de ma chambre, il est entré, il m'a soulevée de terre, m'a serrée dans ses bras et m'a fait tourner comme une petite fille.

– Rassemble tes affaires, Marina, nous partons !

Le cœur battant, j'ai murmuré :

– Où ça ? À Vera Cruz ?

– Pourquoi Vera Cruz ? Tu veux embarquer pour Cuba, toi aussi ? Tu veux faire demi-tour ?

Je lui ai demandé si sa femme lui manquait, et si elle devait bientôt le rejoindre. Il a répondu qu'il ne pensait jamais à elle, qu'il l'avait épousée parce qu'il y avait été obligé. Il a parlé d'une « erreur de jeunesse ». Quant à la faire venir, il ne pouvait en être question tant que la conquête n'était pas terminée. La *señora* Cortés est une femme fragile et nerveuse, qui ne supporterait pas de partager la vie d'une armée en campagne.

Il a éclaté de rire en voyant mon soulagement et il a ajouté en me serrant contre lui : « Je ne t'abandonnerai jamais, mon amie. »

Nous reprenons donc la route d'ici quelques jours, pour préparer la contre-attaque. Nos alliés d'hier ne le sont peut-être plus. Ils ont entendu parler de notre fuite et nous sommes des vaincus, à présent. Le capitaine parle d'une « campagne de châtiment » dans les villages où des Espagnols ont été tués. Je ne sais pas exactement ce qu'il veut dire. Mais à force de l'écouter parler de la guerre, je sais que c'est aussi l'art de faire peur. Et les quatre mille guerriers tlax-caltèques qui nous accompagneront risquent de faire trembler les villages de l'Anáhuac ! Je crois que le capitaine veut montrer à tout l'Empire qu'il n'a rien perdu de sa puissance.

Je déteste la guerre, mais quand je pense à la señora Cortés, là-bas, de l'autre côté de la mer, j'ai envie qu'elle dure toujours…

Tlaxcala, le 30 août 1520

J'avais vu juste. Oveja est morte. Morte égorgée, écorchée. Le marchand olmèque est venu m'annon-cer hier l'horrible nouvelle. Elle était bien retournée à Mexico-Tenochtitlán et s'est offerte en sacrifice pour la fête de Chicomecoatl. Pendant les vingt jours que dure Ochpaniztli, le mois de la purification et du balayage des chemins, trois vieilles accoucheuses l'ont lavée, massée, parfumée, et ont veillé sur elle comme si elle était la déesse Chicomecoatl, la reine des sept serpents et de la fécondité. La veille de la fête, on l'a promenée à travers la capitale, dans une litière ornée d'épis de maïs, de fleurs et de fruits. À l'aube, on l'a parée et on lui a fait respirer les herbes qui donnent l'inconscience, avant de la déposer au pied de la statue de la déesse. Un prêtre l'a égorgée, un autre l'a écorchée, et un dernier a revêtu sa peau pour incarner à son tour la déesse Chicomecoatl. Pour lutter contre mon chagrin, je me répète ce que nous disait l'empereur Moctezuma, lorsque nous nous promenions dans les jardins du palais : « Ce qui meurt à la guerre, ce qui meurt sur la pierre du sacrifice n'est que le corps. Le corps appartient aux dieux, le corps est la prison de l'esprit, le corps est ce qui nous empêche de devenir des hommes divins. »

C'est ainsi qu'Oveja a choisi de devenir une « femme divine », pour rejoindre Juan, son « guerrier divin », au paradis de ceux qui sont morts au combat.

Mais où vont-ils se retrouver ? Dans le paradis des chrétiens ou celui des Mexicas ? Bernal dit que Dieu ne laissera pas entrer au paradis une femme qui s'est

livrée à un sacrifice aussi abominable. J'ai protesté :
même si c'est par amour ?

« Ce n'est pas par amour qu'Oveja est morte, a
répondu Bernal. C'est la haine des Espagnols qui l'a
conduite à mourir. Elle a offert sa mort aux dieux
des Mexicas dans l'espoir qu'ils leur donneront la
victoire. »

J'ai longtemps pleuré dans les bras de Bernal,
le seul ami qu'il me reste. Un ami véritable, mais
intransigeant. Comment peut-il rester aussi insensible au triste destin d'Oveja ?

Tlaxcala, le 6 octobre 1520

Nous sommes rentrés à Tlaxcala après plus d'un
mois passé sur les routes. Nous sommes tous épuisés,
mais notre voyage a porté ses fruits. La liste de nos
alliés n'en finit pas de s'allonger. Nous avons visité
des dizaines de villes et de villages, où nous avons été
reçus tantôt comme des visiteurs inquiétants, tantôt
comme des libérateurs. En fait de « châtiments », le
capitaine s'est borné à faire pendre deux caciques qui
montraient trop de loyauté envers les Mexicas. À tous
les autres, il a promis protection et prospérité. Notre

discours est maintenant parfaitement rodé : d'abord, le capitaine fait peur aux caciques en expliquant que les Espagnols, leur Dieu et leur roi sont invincibles. Ensuite, il fait miroiter les bénéfices d'une alliance avec nous, et enfin il leur fait signer un papier avec les sceaux du roi Charles. Bien sûr, personne ici ne sait lire la langue des Espagnols, mais ces papiers impressionnent beaucoup les caciques, et quand on leur tend la plume et l'encrier en leur demandant de tracer une croix, ils se sentent honorés d'accomplir un geste sacré.

Tlaxcala, le 10 novembre 1520

Une caravane de marchandises en provenance de Castille est arrivée hier à Tlaxcala. Les soldats ont promptement déballé les arbalètes, les escopettes et la poudre. Les clous et les outils en fer sont très recherchés : le fer devient si rare que les cavaliers sont obligés de protéger les sabots de leurs chevaux avec des fers en or. Quant à moi, je ne me lasse pas de contempler les dentelles, les miroirs, les soieries et les tableaux qui représentent les saints. Don Hernán m'a offert une tapisserie où l'on voit un superbe cheval blanc avec une corne sur le front, le plus bel animal que j'aie jamais admiré. J'ai supplié le capitaine de faire venir un de ces merveilleux animaux. Il a ri en m'expliquant que les licornes n'existaient pas, qu'elles étaient une invention, tout comme les dieux serpents à plumes des Mexicas. Quel dommage !

Une nouvelle a également rempli les Espagnols de fierté : leur roi Charles a été couronné empereur. Il s'appelle désormais Charles Quint, et il est le plus puissant souverain de deux mondes : celui qui est ici et celui qui se trouve de l'autre côté de la mer. Il a donné un nom aux terres des Mexicas : la Nouvelle-Espagne. Don Hernán dit que Charles Quint règne sur un empire où le Soleil ne se couche jamais. J'ai du mal à imaginer que le Soleil ne s'arrête jamais et que la Terre est ronde, comme l'affirment les chrétiens. Mais j'admire à nouveau leur inébranlable confiance : ils donnent un nom à une terre qu'ils n'ont même pas fini de conquérir...

Tlaxcala, le 30 novembre 1520

Avec les marchandises qui sont arrivées, les charpentiers ont commencé à construire les pièces des

bateaux qui nous serviront à tenir le s
Tenochtitlán. Je me souviens de l
de Moctezuma quand nous avions ...
Que ces jours heureux me semblent loin ! La vie est
toujours aussi douce à Tlaxcala, mais je n'arrive pas
à oublier que la guerre se prépare.

Tlaxcala, le 2 décembre 1520

Là-bas, à la capitale, il paraît que l'empereur
nommé à la mort de Moctezuma a succombé à cette
étrange maladie que les Espagnols ont apportée avec
eux. La peau, et particulièrement celle du visage, se
couvre de pustules, et la fièvre dévore le corps de
l'intérieur. Rares sont les Espagnols qui meurent de
cette maladie qu'ils appellent la « variole », mais elle
leur laisse sur le visage des marques indélébiles. Les
Mexicas qui en sont atteints en meurent tous.

Un nouvel empereur a donc été nommé : il s'agit
d'un neveu de Moctezuma qui s'appelle Cuauhtémoc.
Je me souviens de lui, je l'ai souvent croisé lorsque
nous habitions au palais. Il est jeune et très beau. On
dit que c'est un grand guerrier et qu'il a juré de tuer
tous les Espagnols ou de mourir pour son peuple.

Nous avons eu aussi des nouvelles de Tecuichpo. Elle a épousé le nouvel empereur. Je suis heureuse pour elle. Tecuichpo est une belle et noble personne, digne de devenir la femme d'un prince aussi valeureux.

Tlaxcala, le 24 décembre 1520

Demain, nous fêterons la naissance de Notre-Seigneur Jésus Christ. Je suis toujours aussi surprise quand je pense que le Dieu des chrétiens a fait naître Son Fils parmi les misérables et que Ses premiers adorateurs ont été de pauvres bergers et des animaux...

C'est le jour qu'a choisi le capitaine pour quitter Tlaxcala. Avant de lancer le siège de la capitale, nous nous installerons chez nos alliés de Texcoco, sur le bord du lac. Nous y rassemblerons nos troupes et nous poursuivrons la construction des treize navires qui nous permettront d'assiéger la capitale depuis le lac. Notre armée est immense : dix mille guerriers alliés nous accompagnent. Les soldats sont pleins de courage et frémissent de l'envie de se venger. Moi, je redoute ce nouveau voyage. Je sais à quoi nous serons exposés : le froid et la neige de la sierra, les nuits dans les vents glacés, et, surtout, l'angoisse des embuscades et des attaques surprises.

Texcoco, le 4 janvier 1521

Hier, quand nous sommes arrivés à Texcoco, nous nous attendions à un accueil triomphal. J'avais hâte de découvrir la ville du roi poète « Coyote affamé », tant aimé par Moctezuma. Et j'avais hâte aussi de trouver un lit confortable et un temazcal bien chaud, après les rigueurs du voyage.

Mais l'accueil a été glacial. La ville semblait déserte. On ne voyait ni femmes ni enfants, rien que des hommes à l'air hostile. Pas un noble, pas un prêtre ne s'est dérangé pour nous. On nous a installés dans un grand bâtiment qui sert d'entrepôt. Nous n'avons même pas de quoi nous chauffer, et à peine de quoi nous nourrir. Le capitaine est très inquiet. Il a interdit à quiconque de sortir et mis en place des rondes de garde.

Tout à l'heure, nous sommes montés sous bonne escorte au sommet d'un temple qui domine la vallée, et nous avons vu des hordes de villageois et des dizaines d'embarcations fuir les rives de l'Anáhuac pour se retirer dans la capitale. Le capitaine a dit dans un grand rire que ces gens étaient fous. « Ils croient encore que Mexico-Tenochtitlán est imprenable et vont y chercher refuge, alors qu'ils n'y trouveront que la mort. » Devant ses soldats, il paraît sûr de lui, il proclame que Dieu et la Vierge protègent les Espagnols et qu'ils ne peuvent pas perdre. Mais ce soir, quand il est venu me rejoindre, il avait le front soucieux. Il répétait qu'il avait peur de ce qui allait arriver, et m'a demandé de brûler du copal, dont les vapeurs l'apaisent. Nous avons prié ensemble jusque tard dans la nuit, et son angoisse s'est dissipée avec l'aube.

Texcoco, le 7 janvier 1521

Depuis ce matin, nous nous sentons enfin en sécurité. On vient de nous installer dans un grand palais où nous avons des braseros pour nous protéger du froid. La plupart des caciques de Texcoco ont choisi le camp des Mexicas, mais ils n'ont pas osé affronter les Espagnols et ont rejoint la capitale sans livrer bataille.

À force de promesses et de cadeaux, don Hernán a

réussi à rallier les quelques caciques qui sont restés. Il a choisi parmi eux un roi qui a été baptisé, avant d'être couronné selon les coutumes de Texcoco. Le premier geste du nouveau roi a été d'envoyer des messagers à ses sujets qui habitent les villages alentour pour leur demander de ne pas fuir et de faire alliance avec les Espagnols. Il était fou de joie quand je lui ai expliqué le plan d'attaque de don Hernán : depuis le lac, il veut bloquer les accès à Mexico-Tenochtitlán grâce à ses puissants vaisseaux et pénétrer dans la capitale. Le nouveau roi de Texcoco nous a promis de nous envoyer ses meilleurs ouvriers pour nous aider, et pour qu'ils apprennent la technique de fabrication des bateaux.

Demain aura lieu une grande fête où l'on baptisera de nobles vierges de Texcoco. Ensuite, elles épouseront des gentilshommes espagnols. Don Hernán m'a demandé de chanter mes complaintes qui racontent la vie de Jésus. Je m'y résoudrai pour lui faire plaisir, mais ces fêtes de mariage me rendent toujours un peu triste. J'ai beau m'appeler « doña Marina », je ne serai jamais une grande dame, et le capitaine ne pourra jamais m'épouser.

Texcoco, le 15 février 1521

Les pièces pour la fabrication des bateaux sont finies et le travail d'assemblage est bien entamé. Je suis heureuse de voir les charpentiers espagnols montrer leur savoir-faire aux gens d'ici. J'aime les voir travailler côte à côte, échanger leurs outils et leurs techniques, montrer avec des gestes ce qu'ils ne peuvent expliquer par la parole.

Hier, j'ai suivi une compagnie d'artisans dans la montagne pour qu'ils coupent des troncs destinés à fabriquer les mâts. Après avoir choisi l'arbre, les gens de Texcoco ont commencé la cérémonie qui précède la coupe avec les chants et les danses pour remercier Notre Mère la Terre, Notre Père le Soleil, Notre Frère le Vent et Notre Sœur la pluie.

Si un prêtre chrétien avait été là, il aurait hurlé, craché, tapé du pied en criant « Magie, démons ! » Les charpentiers espagnols se sont contentés d'observer leurs collègues, de dire « *amen* » et de faire le signe de croix lorsque les chants ont cessé. Puis ils ont travaillé ensemble, chrétiens et gens d'ici, suant la même eau, unis dans le même effort. Quand l'arbre est tombé, ils se sont félicités en se prenant dans les bras parce que la coupe était nette, l'arbre parfaitement sain et le tronc intact. Alors, Notre Mère Tonantzin m'a envoyé une vision d'un autre monde où nous pourrions vivre ensemble sans nous déchirer. Je suis revenue de cette promenade le cœur léger, l'âme émerveillée de cette vision, et j'ai remercié la Vierge pour la force et le courage qu'elle m'a donnés.

Texcoco, le 11 avril 1521

On a du mal à croire que la guerre approche. Le matin, nous recevons des caciques et des dignitaires venus de toute la vallée pour apprécier s'il vaut mieux faire alliance avec nous ou avec les Mexicas. Don Hernán n'a presque plus besoin de parler : je suis devenue experte dans l'art de cajoler et d'effrayer en même temps. « La promesse des cadeaux et la menace des canons », plaisante le capitaine, qui appelle cela « la diplomatie ». Quelle que soit leur méfiance, les caciques finissent presque tous par repartir en nous embrassant, un beau parchemin sous le bras, avec le sceau de Charles Quint, signé d'une croix qu'ils ont fièrement tracée.

Plus de huit mille ouvriers travaillent désormais à

la fabrication des bateaux. Ils vont vite, trop vite… Dès qu'ils auront fini, nous attaquerons. Notre armée grossit de jour en jour. Les villages qui entourent la lagune nous envoient sans cesse de nouveaux guerriers. Don Hernán est joyeux, plein d'entrain et d'enthousiasme. On dirait qu'il a hâte que la guerre recommence. A-t-il oublié les tambours, les hurlements et les larmes ?

Texcoco, le 15 avril 1521

Les bateaux sont finis. Demain, nous les baptiserons sur les rives du lac. Il y en a treize. Ils peuvent contenir chacun plus de vingt-cinq hommes. Ils sont si grands et si imposants que le roi de Texcoco est comme un enfant devant eux : il répète à qui veut l'entendre qu'il n'a jamais vu de chose plus grandiose et plus terrible.

Avant de lancer le siège, le capitaine veut faire un dernier tour dans la vallée pour s'assurer de la fidélité de ses alliés. Il suffirait, dit-il, qu'un d'entre eux nous trahisse pour que nous soyons pris en tenaille.

Nos espions nous ont avertis que les Mexicas sont en train de couper les chaussées qui les relient à la terre ferme, et que chaque habitant fait provision de flèches, de pierres et de pieux.

Texcoco, le 12 mai 1521

Aujourd'hui, fête de la Pentecôte, don Hernán a fait donner une grande messe, la plus longue et la plus solennelle que j'aie jamais vue. Nous étions des milliers sur les bords du lac, et la même fièvre, la même foi soulevait nos chants. Les prêtres ont béni l'armée et les étendards royaux. La cérémonie a duré jusqu'au soir. La veillée a été brève et silencieuse, à part les prières qu'on entendait murmurer dans le noir. Pourtant, je crois bien que cette nuit personne ne dort, car nul n'ignore que demain nous lançons la dernière bataille.

Les blessés et les femmes resteront ici, à Texcoco. Le capitaine m'a demandé de recevoir les ambassadeurs de nos alliés. Il m'a promis qu'il m'enverrait des nouvelles du siège aussi souvent que possible. Nous avons longuement prié ensemble, puis il m'a enlacée avec une tendresse inhabituelle et il a murmuré : « Ah, Marina, que Dieu te bénisse et qu'Il bénisse nos prochaines retrouvailles ! »

Mon esprit s'envole vers Oveja. Puis je pense à Tecuichpo, mon amie qui, à présent, est aussi mon ennemie. Je suppose qu'elle veille de son côté, et qu'elle implore les dieux au côté de son impérial époux. Est-ce qu'elle prie pour notre destruction ? Est-ce qu'elle veut nous voir, don Hernán, Bernal et moi, nous qui avons été ses amis, le cœur ouvert, au sommet d'un temple ?

Oh, Sainte Vierge Marie, bienfaisante Tonantzin, protège ceux que j'aime, quel que soit le côté où ils se trouvent...

Texcoco, le 30 mai 1521

L'armée est immense. Je suis restée longtemps sous le soleil et la poussière à regarder défiler les soldats chrétiens qui scandaient « Santiago ! Castille ! » au son des trompettes, et les guerriers alliés qui répétaient « Santiago ! Tlaxcala ! », « Santiago ! Texcoco ! » Ils sont tous aussi beaux qu'effrayants : les Espagnols avec leurs armures comme des miroirs et les gens d'ici avec leurs visages peints et leurs costumes de plumes.

Lorsque l'armée est arrivée au bord du lac, les

treize vaisseaux se sont élancés, les voiles gonflées par le vent. Sur la terre ferme, les divisions qui doivent attaquer la ville par les trois chaussées principales se sont séparées. Bernal est dans la division qui a pour mission de couper les aqueducs de Chapultepec, qui approvisionnent la capitale en eau douce. C'est une mission dangereuse, mais Bernal dit que cela vaut mille fois mieux qu'embarquer sur un de ces maudits bateaux où il a toujours le mal de mer. Sainte Tonantzin, priez pour lui. Priez pour don Hernán. Priez pour nous.

Texcoco, le 20 juin 1521

Don Hernán envoie presque tous les jours des messages où il raconte les exploits de ses bateaux et la bravoure des marins qui bloquent sans relâche la capitale. Mais les soldats qui reviennent blessés du siège sont découragés. Les ponts, les tranchées, les canaux qu'ils prennent le jour sont repris la nuit. Les guerriers mexicas ne leur laissent pas une seconde de répit. Ils attaquent par la lagune, depuis les terrasses, derrière des palissades, sans s'arrêter, comme des vagues incessantes et meurtrières. Sur les marchés de

Texcoco, j'entends les gens murmurer que l'armée espagnole s'embourbe devant le cœur du Monde Unique…

Texcoco, le 29 juin 1521

Bernal, blessé à l'épaule par une flèche, est venu passer quelques jours de convalescence à Texcoco. Sa blessure n'est pas grave, mais il est dans un état de fatigue épouvantable. Ce qu'il raconte du siège me remplit d'effroi. La plupart des soldats sont blessés ou épuisés. Ils ne peuvent pas dormir, car ils sont toujours sous la menace d'une embuscade ou d'un guet-apens. Il évoque le tambour de guerre et les conques marines ; les hurlements et les insultes des Mexicas forment un fracas effrayant qui semble ne jamais s'arrêter et qui empêche de comprendre ce que dit son voisin.

Bernal est persuadé que les Mexicas ne se rendront jamais. Il dit qu'il n'a jamais vu de guerriers aussi courageux et féroces, aussi déterminés à vaincre ou à mourir. Il a peur comme il n'a jamais eu peur, lui qui a connu tant de batailles. Non pas peur de la mort, mais de ce qu'il va vivre avant de mourir… Ses yeux luisaient d'épouvante lorsqu'il m'a raconté que les Mexicas leur jettent des bras et des jambes grillés en hurlant : « Mangez, chiens de chrétiens ! Mangez la chair de vos frères ! Nous, nous sommes rassasiés ! »

Texcoco, le 15 juillet 1521

Je n'ai pas fermé l'œil de la nuit. Le capitaine est tombé dans une embuscade, et nous ne savons même pas s'il est encore vivant. Une trentaine de soldats a disparu en même temps que lui. Ce soir, dans la chapelle de Texcoco, nous avons prié, nous les gens de sa suite, les femmes et les blessés, jusqu'à l'aube. Nous avons chanté sans relâche pour couvrir le battement des teponaztli dont le grondement traverse le lac. Nous savons ce que ce bruit signifie : on est en train d'apprêter des prisonniers espagnols pour leur faire gravir les marches du Grand Temple.

Texcoco, le 17 juillet 1521

Dieu soit loué, don Hernán est vivant ! Il est arrivé hier, à l'aube, sur une civière portée par deux soldats à peine plus vaillants que lui. Il est blessé à la jambe, il a de la fièvre et je l'ai veillé toute la journée et toute la nuit. Dans son délire, il parlait à la Vierge, il pleurait et se débattait en demandant pardon pour ses péchés. Aujourd'hui, la fièvre a baissé et il a dormi tranquillement.

Texcoco, le 27 juillet 1521

Nous gagnons chaque jour un peu de terrain, et désormais le territoire des Mexicas se réduit au quartier de Tlatelolco, au marché et à l'enceinte sacrée. Les nouvelles qui arrivent de la capitale sont bonnes et réconfortent les soldats blessés. Là-bas, il n'y a plus d'eau douce, les gens mangent de l'herbe et des racines, les enfants et les vieillards meurent par centaines, dévorés par les pustules de la variole... Je n'arrive pas à me réjouir de ces « bonnes nouvelles ».

Le capitaine a repris des couleurs et il se tient à peu près debout. Tout à l'heure, nous avons fait quelques pas au bord du lac, et nous nous sommes assis face à Mexico-Tenochtitlán, qui brûle jour et nuit. J'ai eu envie de pleurer en songeant combien j'avais été heureuse là-bas. « Ce qui te sera donné te sera repris… » m'avait dit la vieille, un jour qui semble loin…

Don Hernán n'a rien perçu de ma tristesse. Il regardait les pyramides à moitié cachées par les fumées des incendies et il a murmuré : « Les cloches, Marina. Bientôt, elles vont résonner sur l'Anáhuac. Tu n'as jamais rien entendu d'aussi beau… »

Alors, je lui ai parlé selon mon cœur. Puisque, sauf catastrophe, la victoire ne peut plus lui échapper, j'ai supplié don Hernán de proposer la paix. Il m'a répondu qu'il venait de le faire, que les messagers étaient partis ce matin. Il réclame la cessation des combats et le pardon pour les survivants. J'ai poussé un soupir soulagé qui a arraché un triste sourire à don Hernán. « Je ne me fais aucune illusion, a-t-il soupiré. Je sais que l'empereur dira non. »

Texcoco, le 2 août 1521

La réponse de Cuauhtémoc est arrivée ce matin : « Nous combattrons les chiens chrétiens jour et nuit ou nous mourrons. Car mieux vaut pour nous mourir en combattant que tomber aux mains de qui nous rendra esclaves. » Lorsque j'ai eu fini de traduire le message des ambassadeurs, le capitaine a fermé les yeux, son visage est devenu blanc et il est sorti de la tente sans rien dire, sans même saluer les ambassadeurs mexicas.

Tacuba, le 5 août 1521

Nous, les femmes, nous avons quitté Texcoco pour nous rapprocher des combattants. Nous sommes à un jet de pierre de Mexico-Tenochtitlán, sur l'autre rive du lac. Désormais, les Espagnols ne craignent plus d'être attaqués par-derrière et ils consacrent toutes leurs forces à la prise de la ville. Les troupes avancent par les trois chaussées, détruisant derrière elles tout ce qu'elles trouvent, même la plus misérable cabane, afin qu'elle ne puisse servir à une embuscade. Sur leur chemin, les soldats croisent des poutres où sont attachées les têtes de leurs camarades sacrifiés, et cela exalte leur courage et leur fureur. La grand-place est cernée, le palais du vieux roi, où nous avons appris à nous connaître et à nous aimer, est détruit.

Nous sommes si près des combattants que nous percevons les odeurs de poudre et les bruits de la guerre. Je ne dors presque plus. Des blessés reviennent par dizaines, chaque jour. La plupart du temps, nous n'avons rien d'autre pour les soulager que nos larmes et nos prières.

Mexico-Tenochtitlán, le 13 août 1521

C'est fini. La ville s'est rendue. Les tambours, les grelots, les hurlements qui ont résonné pendant presque trois mois de siège ont cessé. Et ce silence est pire encore que le fracas qui nous a assommés tant de jours et tant de nuits.

Lorsque j'ai accompagné le capitaine au Grand Temple pour traduire la rencontre entre lui et le souverain vaincu, j'ai eu l'impression de marcher dans un cauchemar. La ville semble inhabitée, sinon par des êtres humains que les privations ont transformés en fantômes. Les eaux troubles de la lagune, remplies de cadavres gonflés, dégagent une affreuse odeur de pourriture. Le sol est labouré, sans un brin d'herbe. Même les arbres n'ont plus d'écorce. Oh, Sainte Tonantzin ! Ici s'élevait la grande cité-labyrinthe aux mille canaux, la splendeur des jardins et des vergers. Où sont les odeurs de fleurs et de

terre mouillée ? Les couleurs éclatantes des temples ?
Qu'avons-nous fait ?

Cuauhtémoc est notre prisonnier. Tecuichpo,
aussi pâle et maigre que son époux, m'a lancé un
regard désespéré et j'ai dû me retenir pour ne pas me
jeter dans ses bras. L'empereur a reconnu sa défaite
aux pieds de don Hernán. Il l'a supplié de le tuer
mais d'épargner sa famille et ce qu'il reste de son
peuple. Don Hernán l'a relevé et lui a assuré qu'il
serait traité comme le grand prince qu'il est.

Jamais je n'ai eu autant de mal à traduire. Les
larmes, l'odeur de la mort, l'âcre fumée des temples
qui brûlaient m'empêchaient de parler.

Mexico-Tenochtitlán, le 16 août 1521

La ville est en train de se vider de ses habitants,
comme un immense corps dévoré par la maladie.
Oui, le cœur du Monde Unique, qu'on croyait éter-
nel, est à l'agonie, il perd son sang goutte à goutte
sous l'œil indifférent de ses dieux.

L'exode dure depuis trois jours. Combien sont-
ils ? Personne ne pourrait compter une telle multitude. Mais sont-ils encore vivants ? Ce sont des

squelettes au teint jaune, aux yeux hagards et vides, juste des fantômes qui n'ont plus ni âge ni sexe, qui marchent sous la pluie battante, les uns derrière les autres, sans savoir où aller ni qui prier.

Je n'ai plus assez de mots pour dire ma tristesse.

Mexico-Tenochtitlán, le 17 août 1521

Cruautés, violences, vengeances... Les guerriers vaincus, marqués au fer rouge sur le front, sont devenus des esclaves. Les supplications de Cuauhtémoc résonnent dans mes nuits sans sommeil : « Tue-moi, seigneur, car je ne saurais vivre comme un esclave. »

Coyoacán, le 18 août 1521

L'atmosphère est irrespirable dans la capitale, l'air y est si lourdement chargé de l'odeur de la mort que le capitaine a réquisitionné une maison à Coyoacán, de l'autre côté de la lagune. C'est une grande et belle demeure, avec un jardin bien entretenu. Nous essayons de nous reposer, mais les soldats grondent de colère. Le capitaine avait promis de les couvrir d'or lorsque la capitale serait prise. Hélas, le trésor tant convoité n'existe pas, et Cuauhtémoc n'a rien d'autre à offrir que sa vie. Il dit que le trésor de ses ancêtres a été donné par Moctezuma aux Espagnols. Mais ils l'ont perdu pendant leur fuite, et s'ils veulent le récupérer, il faut qu'ils aillent le chercher au fond du lac qui entoure la ville...

Cuauhtémoc vit avec sa famille dans la même maison que nous et je passe de longs et doux moments avec Tecuichpo. Nous ne parlons pas beaucoup. Elle a commencé à peindre un livre qui raconte le siège et la destruction de Mexico-Tenochtitlán. Je la regarde faire et j'admire sa concentration. Je crois que dessiner apaise sa rage et son désespoir. Je l'envie d'avoir ce talent. Moi, je ne sais que prier pour soulager mon âme.

Coyoacán, le 1ᵉʳ septembre 1521

Les rumeurs de jalousie, de complots et de trahisons deviennent insistantes. Les soldats, surtout ceux qui sont arrivés récemment dans l'espoir de faire fortune, affirment que le capitaine a volé l'or de la conquête, qu'il a caché le trésor des Mexicas.

Chaque matin, en nous réveillant, nous trouvons de nouveaux graffitis sur notre maison : « Cortés, rends-nous notre or ! » Ou alors : « Nous ne sommes pas les conquistadors de la Nouvelle-Espagne, mais les conquis de Cortés. »

D'autres Espagnols racontent que don Hernán vit comme un Maure, dans un véritable harem, avec des dizaines de femmes, dont la plupart sont des Mexicas, et qu'il est en train de devenir mexica lui-même. Les insultes et les crachats jaillissent dès qu'il sort de la maison.

Don Hernán est soucieux, fatigué. Il passe son temps à solliciter avec angoisse ses plus fidèles partisans : il ne possède plus rien, et il lui faut de l'or pour calmer les envieux. Bernal lui a donné les quelques bijoux qu'il détenait, et moi, la seule et unique bague qu'il m'avait offerte.

Les Espagnols sont tellement désunis que les Mexicas, s'ils en avaient la force, pourraient reconquérir leur ville ! Mais Cuauhtémoc ne semble plus appartenir à ce monde. Il se tient immobile, silencieux, la tête droite, les yeux tournés vers l'intérieur et c'est à peine s'il répond quand on lui parle.

Coyoacán, le 9 septembre 1521

L'or, toujours l'or, encore l'or ! Maudit soit l'or et ce qu'il fait faire aux Espagnols. Hier, Hernán Cortés a cédé devant la colère de ses soldats. Afin de prouver qu'il n'était pas de mèche avec les Mexicas pour escamoter le trésor, il a accepté que Cuauhtémoc soit torturé. Mais il n'a pas eu le courage d'assister au supplice, tandis que moi, il a ordonné que je reste pour traduire ! Oh, parfois, je hais Hernán Cortés tant je hais ce qu'il exige de moi.

Cuauhtémoc et deux de ses courtisans ont été attachés à des bancs ; on leur a enduit les pieds et les mains d'huile avant d'approcher des tisons. J'ai dû voir et entendre tout cela : le crépitement de la peau, l'odeur effroyable des chairs brûlées, les hurlements des suppliciés et les cris du bourreau qui répétait : « Où est le trésor des Mexicas ? »

– Il n'y a pas de trésor, répondaient inlassablement les suppliciés, tout l'or que nous possédions a été déposé aux pieds du capitaine par l'empereur Moctezuma. »

Je traduisais aussi vite que je pouvais, pour abréger cette torture, priant pour qu'ils meurent, et qu'ils échappent à la souffrance. L'un des compagnons de l'empereur s'est tourné vers lui en sanglotant. Cuauhtémoc, qui avait souffert le feu sans rien dire, s'est contenté de murmurer : « Suis-je donc dans un bain de délices ? »

Devant son courage, je me suis effondrée, je suis sortie de cette pièce sordide et j'ai couru jusqu'aux appartements du capitaine. Il était seul, les yeux fixés sur un livre qu'il ne lisait pas, le visage sévère et triste. Je me suis jetée à ses genoux et je l'ai supplié d'arrêter cette barbarie qui allait ternir son nom pour des siècles. Un guerrier désarmé, une nation vaincue ! N'avait-il pas dans son cœur un peu de l'amour de la Vierge qu'il vénère ?

« Il le faut, Marina, a soufflé le capitaine, il le faut. C'est la politique qui l'exige. Je ne peux pas faire autrement… »

J'ai pleuré à ses pieds, j'ai arraché mes cheveux, j'ai déchiré mon huipil en répétant que mon seigneur était un trop grand seigneur pour ordonner une telle infamie. Il a fini par me suivre. Quand nous sommes arrivés devant le bourreau, l'un des seigneurs mexicas était mort, l'autre était inconscient. L'empereur nous a regardés entrer, et dans ses yeux j'ai lu une douleur si immense que mes larmes ont recommencé à couler. Ses pieds et ses mains étaient informes, noircis, monstrueux. On ne pouvait plus distinguer les doigts. Le bourreau se préparait à renouveler l'huile et le bois, lorsque le capitaine lui a ordonné d'arrêter. Il a fait transporter l'empereur dans ses appartements et le docteur Oreda est venu mettre des onguents et de la charpie sur ses chairs calcinées.

Coyoacán, le 10 septembre 1521

J'ai confectionné un onguent d'après une recette maya pour calmer les douleurs de l'empereur et je l'ai porté à Tecuichpo, qui m'a prise dans ses bras. Comme elle a changé ! Elle a grandi, ses yeux sont devenus plus profonds, plus sombres encore. Mais ils ne brillent plus comme avant le siège. On dirait que sa rage, sa fierté, sa noble certitude d'être issue du plus grand peuple du monde ont disparu. Elle dit que son époux n'a plus envie de vivre. Et qu'elle n'a plus envie de haïr. « J'étais une princesse, m'a-t-elle confié, je croyais que je pouvais changer les choses à ma guise. Maintenant, je suis une reine et je sais qu'il faut aussi accepter les choses qui ne peuvent être changées… » Pour me remercier d'avoir sauvé son époux, elle m'a offert un livre peint qui raconte la légende de la création du monde par Tonantzin et Huitzilopochtli. Je l'ai posé à côté de mon tableau de la Vierge, pour les prier chacun à leur tour.

Coyoacán, le 11 septembre 1521

Mon seigneur est venu me demander hier soir de lui pardonner ce qu'il m'avait fait subir. Il savait que le supplice de Cuauhtémoc m'avait meurtrie. Une autre guerre est à livrer à présent, m'a expliqué le capitaine, contre ceux qui vont vouloir s'approprier ce qu'il a conquis et ruiner sa réputation. Il m'a dit que cette nouvelle guerre serait laide et sans gloire, mais cela ne l'a pas empêché d'être gai. Il a ouvert du vin, du « bon vin de Castille », et m'a demandé de trinquer à l'avenir, aux temps nouveaux que nous devons inventer, à la capitale que nous reconstruirons plus belle et plus grande que celle d'autrefois, aux richesses qui nous attendent, à l'abondance, à la gloire, à la paix...

J'ai bien voulu trinquer avec lui et j'aurais bien aimé lui accorder mon pardon. Mais ce n'était pas devant moi qu'il fallait s'agenouiller : le docteur Oreda a affirmé que Cuauhtémoc resterait infirme toute sa vie.

Avec mon aide et celle de Tecuichpo, mon seigneur a gagné la bataille contre les comploteurs. J'avais demandé à la princesse de me procurer les livres peints où son père et ses ancêtres consignaient les tributs qu'ils recevaient des provinces. Nous avons montré ces livres, des « codex », comme disent les Espagnols, aux officiers rebelles. Nous leur avons traduit les dessins et leur avons prouvé que la richesse des Mexicas leur venait de leurs nombreuses possessions à travers l'Empire. Du coup, les officiers, au lieu de passer leur temps à comploter contre don Hernán, se pressent dans son antichambre pour obtenir un ordre de mission. Don Hernán était ravi de les envoyer découvrir de nouvelles terres et batailler dans l'ancien Empire mexica : ce qui intéresse don Hernán, ce n'est pas l'or, mais la conquête. Le voilà débarrassé, par la même occasion, de quelques jeunes ambitieux un peu trop bouillonnants...

Quand j'ai demandé à Tecuichpo pourquoi elle m'aidait à présent à défendre le capitaine alors qu'il lui a causé tant de malheurs, elle a répondu en haussant les épaules : « Ç'aurait pu être pire, bien pire. Quand je vois les bandits sans scrupule qui arrivent chaque jour d'Espagne ! Don Hernán est un ennemi implacable, mais c'est une sage personne. Et il aime les gens d'ici. Il aime nos femmes, nos chants, notre langue… »

J'ai répété ces paroles au capitaine et j'ai ajouté :

– Ne crois-tu pas qu'il est temps que je t'enseigne le nahuatl ?

– Tu n'as pas peur de perdre ton emploi ? a-t-il répondu en riant.

– Tu as beaucoup d'autres interprètes à présent… Et puis, la guerre est finie. Je ne te suis plus indispensable…

– Oui, nous avons partagé le temps des guerres et ce temps est fini. Alors, je veux bien que tu m'enseignes le nahuatl, comme tu m'as appris tant d'autres choses. Mais je ne suis pas doué pour les langues. Il faudra que tu sois très patiente et très gentille avec moi. Et ça risque de prendre longtemps, très longtemps…

Oh oui, don Hernán est un élève dissipé qui a plus envie de tendresse que de leçons ! Mais tant qu'elles dureront, ces leçons, je serai à côté de lui et je serai heureuse.

Coyoacán, le 29 septembre 1521

Le temps de la guerre, de la misère et de la douleur semble enfin fini, comme le capitaine me l'avait promis. Tous les jours des marchandises, des bêtes et des centaines d'hommes nous arrivent d'Espagne dans l'espoir de faire fortune. Notre maison de Coyoacán est devenue un palais où le capitaine vit désormais comme un prince, et nous, ses femmes, comme des princesses. Où qu'il aille, don Hernán est accompagné par une foule de gens : des représentants de l'empereur Charles Quint qui alignent les insignes et les médailles sur leurs gilets, des notaires avec de grands chapeaux à plumes, des officiers, des prêtres et des clercs qui passent leur temps à remplir des colonnes et des tableaux. À son service, il emploie un majordome, un maître d'hôtel, un échanson, un médecin et un chirurgien, une dizaine de pages, un valet de chambre et huit valets d'épée ! Pour nous distraire, nous disposons de fauconniers, de musiciens, d'équilibristes et de bouffons. Des jardiniers et des artisans s'activent dans le domaine.

Je profite de ce bonheur, je goûte les instants de paix et les baisers de mon seigneur. Je sais qu'ils m'appartiendront peu de temps, alors leur goût est encore plus intense.

Coyoacán, le 3 octobre 1521

À présent que le pays est calme, la femme du capitaine va bientôt arriver de Cuba. Bernal est parti ce matin avec le détachement qui doit l'accompagner jusqu'ici, et don Hernán est en train d'arranger un appartement pour elle. Il paraît qu'elle est très jalouse. Est-ce que cela signifie que je vais devoir quitter cette maison ? Je ne sers plus à rien, maintenant que l'Empire est vaincu. Les filles des nobles et des rois mexicas ont épousé des chrétiens, et elles sont protégées par leur noble naissance. Le capitaine a besoin d'elles pour être reconnu par la noblesse mexica et pour reconstruire le pays. Mais moi ?

Je reste seule avec mes interrogations. Il n'est pas question que je dérange don Hernán en ce moment. Il ne m'entendrait même pas. Il est comme possédé par sa mission. Une sorte de fièvre s'est emparée de lui, et il met la même ardeur à créer qu'à semer la mort. Ce qu'il a tant admiré et qu'il a détruit, il veut le reconstruire en plus beau, en plus grand ! Les plans de la nouvelle ville l'obsèdent, il se lève la nuit pour les rectifier. Il distribue les terres conquises à ses soldats, il promulgue des lois pour protéger les gens d'ici contre la cupidité de ses compatriotes. Il encourage ses hommes à se marier, à fonder une famille. Il rêve à voix haute d'un monde métissé, où le nahuatl serait la langue officielle...

Oui, mon seigneur rêve. Il ne voit pas les guerriers marqués au front, les fers aux pieds, qui croulent sous les pierres et les poutres, dans les chantiers de Mexico. Il ne voit pas les familles dévastées qui errent le long de la lagune et se nourrissent de vers et de larves. Il ne voit pas non plus les mains et les pieds déformés de Cuauhtémoc...

Coyoacán, le 10 octobre 1521

Ce matin, un son étrange, grave et doux à la fois, m'a réveillée. J'ai su aussitôt de quoi il s'agissait : les cloches. Leurs vibrations, tantôt lourdes, tantôt légères, sont restées suspendues dans la lumière de l'aube, et j'ai aimé leur son de toute mon âme. Elles sont arrivées hier d'Espagne. Don Hernán, qui voulait me faire la surprise, les a fait installer hier dans la chapelle qui jouxte ma chambre, pendant que j'étais au marché.

Leur son est si beau que j'ai supplié le sacristain qui en est responsable de les actionner encore pour moi. Mais il n'a rien voulu entendre : les cloches sonnent pour les offices, pas pour les caprices des dames !

Coyoacán, le 11 octobre 1521

Dans mon ventre, comme un écho au son des cloches, bat le cœur d'un être humain. Je le sais depuis ce matin et je ne l'ai encore dit à personne. Je suis si heureuse ! C'est un vœu que je faisais depuis longtemps, une prière secrète que je disais sans même m'en rendre compte et que Sainte Tonantzin a exaucée !

Le rêve métis de don Hernán s'est incarné en moi. Ce n'est qu'un rêve minuscule, juste une étincelle, qui va grandir doucement dans le silence et dans l'obscurité. À peine une infime vibration dans mon ventre, mais qui me donne tout à coup une force immense !

Je veux que mon enfant naisse dans un monde en paix. Les mondes anciens sont derrière nous, les vieux mondes de son père et de sa mère, ces mondes qui se sont fascinés et combattus... Mon enfant priera la Vierge et Tonantzin, il aimera le tambour et les cloches, il habitera le nouveau monde que nous, ses parents, allons bâtir pour lui.

Expédition
d'Hernán Cortés
en 1519

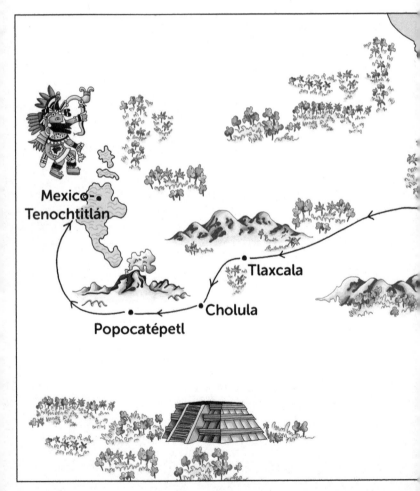

Mexico-
Tenochtitlán

Tlaxcala

Cholula

Popocatépetl

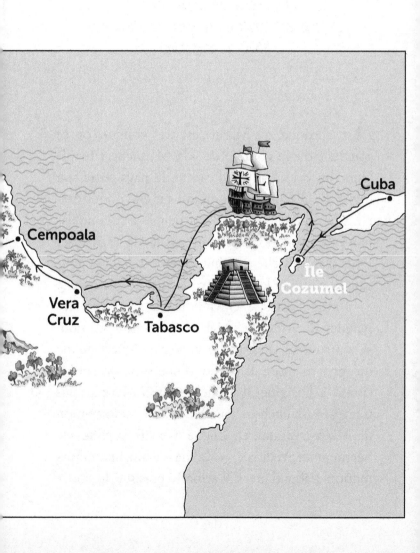

À propos de l'histoire :
ce qui est vrai et ce qui ne l'est pas
(Note de l'auteur)

Au Mexique, où Marina est très connue, on se souvient d'elle comme de «la Malinche» (d'ailleurs, un volcan situé au centre du pays porte son nom). Et chacun a son opinion sur elle : pour certains, la Malinche a livré son peuple aux conquistadors et son nom est synonyme de traîtresse. Pour d'autres, elle a atténué autant qu'elle le pouvait le choc de la rencontre et, par le fils qu'elle a eu avec Cortés, elle symbolise le métissage des peuples du Mexique. Mais «Malinche», ce nom si controversé, n'est pas le sien et ne lui est donné qu'après sa mort. Il résulte d'une série de confusions : à l'origine, il ne désigne pas Marina mais Cortés. «Malinche», en effet, est une déformation de *Malin-tzin*, qui, en langue nahuatl, signifie «le Seigneur de Malina», «Malina» étant une déformation nahuatl de «Marina», puisque le son *r* n'existe pas dans les langues du Mexique ancien.

La vie de Marina nous est très mal connue. La jeune femme est à peine évoquée par Cortés dans ses lettres à Charles Quint. Il en parle comme d'une indigène intelligente qui aide les Espagnols dans leur compréhension des Mexicas. De son côté, dans son journal de la conquête[1], Bernal Díaz del Castillo fait plusieurs allusions à l'enfance de Marina et au rôle qu'elle joue auprès de Cortés. Il parle d'elle comme d'une «noble et belle dame, loyale, très douée pour les langues, intelligente, courageuse».

On sait aussi qu'en 1525, après la conquête et la naissance de son fils, elle poursuit son rôle d'interprète auprès de Cortés et l'accompagne dans une terrible et meurtrière expédition au plus profond de la jungle du Honduras. Elle en revient trois ans plus tard, mariée à un gentilhomme espagnol avec qui elle a une fille, née en 1526. Ses traces s'effacent ensuite, on ne sait ainsi ni où ni quand elle est morte. Sans doute est-elle allée rejoindre les amoureux tragiques du Nouveau Monde, Oveja et Juan, qui ont certainement dû exister avant de venir hanter ce récit.

---

1. *La Conquête du Mexique*, Bernal Díaz del Castillo, Actes Sud, collection Babel, 1996.

Brève chronologie croisée des vies d'Hernán Cortés et de la Malinche

1485 (1483 ? 1484 ?) : naissance d'Hernán Cortés, près de Séville, en Espagne.

Vers 1500 : naissance de la Malinche, à Tehuantepec, dans le sud du Mexique.

1504 : Cortés quitte l'Espagne pour les Antilles et participe à la colonisation de l'île d'Hispaniola (sur laquelle se trouvent aujourd'hui Haïti et la République dominicaine). Il y devient propriétaire de terres et d'esclaves.

Vers 1510 : la Malinche est vendue par sa mère à des marchands mayas de passage.

1511 : Cortés prend part à une expédition qui a pour but la conquête de l'île de Cuba.

1515 : en récompense de ses services, Cortés est nommé maire de Santiago de Cuba.

1518 : le gouverneur de Cuba nomme Cortés commandant d'une expédition maritime qui doit explorer les terres inconnues de l'ouest.

1519 : Cortés débarque au Mexique, sur la côte maya, traverse le pays et entre dans Mexico-Tenochtitlán.

1520 : Cortés et son armée, chassés de Mexico-Tenochtitlán, préparent une contre-attaque depuis les villes de Tlaxcala et Texcoco.

1521 : après un siège de soixante-quatorze jours, l'armée espagnole pénètre à nouveau dans Mexico-Tenochtitlán. Les terres des Mexicas forment la Nouvelle-Espagne et Mexico-Tenochtitlán, en grande partie détruite, devient Mexico.

Vers 1521 : naissance de Martin Cortés, fils d'Hernán Cortés et de la Malinche.

1522 : le roi d'Espagne, Charles Quint, nomme Cortés gouverneur général de la Nouvelle-Espagne.

1525 : dernier voyage de la Malinche avec Cortés dans le sud-est du Mexique, au cours duquel Cuauhtémoc, dernier empereur aztèque, est pendu.

1526 : la Malinche épouse un capitaine de l'armée espagnole, avec qui elle a une fille.

1527 : Charles Quint destitue Cortés de son titre de gouverneur général de la Nouvelle-Espagne. Celui-ci se rend en Espagne pour plaider sa cause auprès de l'empereur.

Vers 1528 : naissance de Leonor Cortés Moctezuma, fille de Cortés et de Tecuichpo-Isabel Moctezuma.

Vers 1529 : mort probable de la Malinche à Mexico. Cortés épouse, en Espagne, une jeune noble fortunée.

1530 : Cortés retourne au Mexique avec, en guise de remerciement, de nombreux titres de propriété. Il s'installe avec sa femme et sa suite dans les environs de Mexico.

1547 : Cortés meurt à côté de Séville. Il a environ 62 ans.

1566 : la dépouille de Cortés est transportée au Mexique, selon ses vœux.

Laurence Schaack

Laurence Schaack a été journaliste avant d'écrire des documentaires et des romans pour adolescents. Aux éditions Nathan, elle est co-auteure de « Backstage », collection de romans historiques sur le rock, et de la série *Trois (ou quatre) amies*. L'histoire de la Malinche est née de son questionnement sur la rencontre inouïe entre l'Ancien et le Nouveau Monde et de sa fascination pour le mélange des cultures.

N° éditeur : 10250539
Achevé d'imprimer en octobre 2018 par la Nouvelle Imprimerie Laballery
(58500 Clamecy, France) (n° 810321)